Amury Girod

Philippe Bernard

Amury Girod

Un Suisse chez les Patriotes du Bas-Canada

SEPTENTRION

Les éditions du Septentrion remercient le Conseil des Arts du Canada et la Société de développement des entreprises culturelles du Québec (SODEC) pour le soutien accordé à leur programme d'édition, ainsi que le gouvernement du Québec pour son Programme de crédit d'impôt pour l'édition de livres. Nous reconnaissons également l'aide financière du gouvernement du Canada par l'entremise du Programme d'aide au développement de l'industrie de l'édition (PADIÉ) pour nos activités d'édition.

Illustration de la couverture : Charles Alexander Smith, *L'Assemblée des six-comtés* (1890), coll. R.-L. Séguin.

Révision : Solange Deschênes

Mise en pages : Folio infographie

Si vous désirez être tenu au courant des publications
des ÉDITIONS DU SEPTENTRION
vous pouvez nous écrire au
1300, av. Maguire, Sillery (Québec) G1T 1Z3
ou par télécopieur (418) 527-4978
ou consultez notre catalogue sur Internet :
www.septentrion.qc.ca

La liberté de la presse
est la sauvegarde
de la liberté du peuple.

AMURY GIROD
Le Canadien, 6 juillet 1832

Avant-propos

D'AMURY GIROD, on a dit beaucoup de mal, surtout du mal, rarement du bien. Que les adversaires des Patriotes et leurs disciples l'aient attaqué, dénigré et pourfendu, nous ne devons pas nous en étonner. De la part des partisans de 1837-1838 et de leurs héritiers, cela surprend.

Érudit, écrivain et polémiste, Girod prônait des idées républicaines et libérales; hostile à toute forme de pouvoir autoritaire, il dénonçait l'oligarchie coloniale qui administrait le Bas-Canada. La création d'écoles normales pour former des maîtres canadiens et la mise sur pied d'un réseau d'écoles d'enseignement pratique et accessibles à tous constituaient à ses yeux un objectif politique prioritaire. Il préconisait la modernisation de l'agriculture par le renouvellement des méthodes de travail et l'introduction de nouvelles techniques d'exploitation.

Étranger et protestant, Girod s'est engagé dans les rangs du Parti patriote auquel il a consacré les quatre dernières années de sa vie. Son concours à l'élaboration et à la diffusion du programme du parti dirigé par Louis-Joseph Papineau reste indéniable. Les convocations de la Chambre d'assemblée pour l'inciter à présenter son témoignage sur les grands dossiers de l'heure révèlent que les députés de la majorité reconnaissaient ses compétences et appréciaient ses tendances réformistes. Les invitations à prononcer des discours dans les assemblées publiques indiquent que les dirigeants du mouvement l'estimaient et le respectaient. Son rôle décisif dans la levée des milices patriotes au nord de Montréal est incontestable.

Notre essai vise à présenter sa contribution, en grande partie méconnue.

Cette contribution, Girod l'a apportée dans un contexte historique, dans un cadre politique, en interaction avec d'autres acteurs. D'où la nécessité de puiser dans l'historiographie des Patriotes de 1837-1838, abondante et sans cesse croissante. Mais celle-ci a ses limites et ses lacunes. Certains aspects n'ont pas été traités ou ne l'ont été que sommairement. Ainsi, que sait-on de l'élection générale de 1834, cruciale pour comprendre les affrontements qui conduiront à la rupture complète entre le pouvoir législatif et le pouvoir exécutif?

Quant aux dirigeants, politiques, intellectuels, religieux, économiques et militaires, que connaît-on d'eux? Pour un *Papineau et son temps,* un *Wolfred Nelson et son temps* et quelques brochures hagiographiques du genre *Chénier l'opiniâtre,* combien attendent leur biographe?

Ce passage de l'individuel au collectif risquait de nous entraîner dans une étude beaucoup plus vaste, hors de notre portée. Nous nous sommes limité à esquisser certaines questions et à introduire des commentaires qui pourront jeter un éclairage nouveau sur les événements de 1837. Nos considérations auront le mérite de nourrir le débat sur ce que les uns ont qualifié de résistance spontanée à une opération de police, et les autres, de tentative d'insurrection armée; de soulever d'autres interrogations sur la présence, ou l'absence, d'une pensée unificatrice et d'une stratégie ordonnée chez les dirigeants du Parti patriote; de mieux cerner l'importance des facteurs qui ont contribué à son échec.

Toute biographie demeure une œuvre inachevée. Si celle d'Amury Girod devait provoquer la mise à jour de pièces d'archives ignorées permettant de la développer ou de la corriger, nous nous en réjouirions. Comme nous nous féliciterions si elle devait susciter débats et analyses.

* * *

Je remercie celles et ceux qui m'ont apporté leurs concours. Monsieur Georges Aubin, chercheur en histoire des Patriotes, m'a transmis plusieurs documents inédits puisés dans son abondante collection. Madame Germaine Ellis, de l'État du New Jersey, a aimablement accepté d'effectuer des recherches à la bibliothèque municipale de New York. Madame Gisèle Monarque, généalogiste, m'a fourni d'utiles précisions sur les familles Armand et Monarque de Rivière-des-Prairies. Messieurs Pierre-Yves Favez et Pierre-Yves Pièce, de Lausanne, ont tenté, sans succès, de retracer la famille d'Amury Girod dans les archives du canton de Vaud. Grâce à madame Hélène-Louise Élie, alors présidente, j'ai pu consulté les archives de la Société historique de Montréal, avec l'aide de madame Mireille Lebeau, archiviste. Madame Myriam Cloutier, directrice des relations publiques du cimetière Mont-Royal, m'a été d'un grand secours pour découvrir l'emplacement de la tombe d'Amury Girod. Les professionnels des Archives nationales du Québec ont démontré, une fois de plus, leurs qualités et leur disponibilité.

À tous, j'exprime ma gratitude.

Philippe Bernard
Outremont
3 décembre 2000

CHAPITRE PREMIER

Les années d'ombre

Lors de son mariage en 1833, à la Scotch Presbyterian Church de Montréal, Augustin Frédéric Amury Girod se déclare originaire du canton de Vaud, en Suisse. Il est âgé d'environ trente-cinq ans. Nos recherches pour en savoir plus n'ont pas donné de résultats.

Le patronyme Girod et son pendant Giroud sont très répandus, non seulement dans le Vaud, mais aussi dans les cantons voisins de Fribourg, de Genève et du Valais. Plusieurs de ces familles proviennent de la Franche-Comté, plus précisément des actuels départements français du Doubs et du Jura ; d'autres, du pays de Gex, département de l'Ain, et de l'ancien duché de Savoie, département de la Haute-Savoie. Girod et Giroud forment les variantes locales de Giraud, nom courant dans toute la France[1].

Amury Girod lui-même est resté discret sur sa naissance et sa famille. Il se disait tantôt Français, tantôt Suisse, au gré des circonstances. S'il naît effectivement dans une commune vaudoise, vers 1798, il pourrait très bien être les deux.

Le pays de Vaud a longtemps appartenu à la maison de Savoie jusqu'à ce que les Bernois en prennent possession en 1536. Si la population conservera la langue française, elle adhère, bon gré mal gré, à la Réforme prêchée par Jean Calvin et, de catholique, devient protestante.

Après la reconnaissance de la neutralité de la Suisse par les puissances européennes aux traités de Westphalie en 1648, les cantons traversent une période d'essor économique et d'épanouissement culturel, malgré une dégradation de la situation politique accompagnée de révoltes populaires brutalement réprimées par les autorités. À la fin du XVIIIe siècle, la Révolution française suscite un écho favorable dans la confédération helvétique, notamment au pays de Vaud ; la répression des velléités démocratiques forcent plusieurs intellectuels à se réfugier en France. L'agitation révolutionnaire fournit au Directoire l'occasion de tenter d'inclure dans l'orbite de la France un pays prospère qui occupe une position stratégique au sein de l'Europe.

Le 28 janvier 1798, le général Ménard, à la tête des armées républicaines françaises, envahit le pays de Vaud qui est détaché du canton de Berne pour former celui du Léman. L'effondrement du pouvoir politique local se traduit par la proclamation, le 22 mars, de la République helvétique que le gouvernement de Paris impose, avec des institutions centralisées, selon le modèle français. Le régime se révélera inapplicable et ne durera que cinq ans ; sous le Consulat, en 1803, Bonaparte signera l'Acte de médiation qui recréera une confédération composée de treize cantons, dont le canton de Vaud qui succède à celui du Léman[2].

Le nouveau canton s'étire sur la rive septentrionale du lac Léman. Il est borné au nord par la principauté de Neuchâtel, et par le canton de Fribourg ; à l'ouest, il partage sa frontière avec les départements du Doubs et du Jura. Au sud-ouest, il touche au territoire de Genève, annexé par la France en 1798 pour former le département de Léman, et au sud-est à la région du Valais proclamée République rhodanienne en 1802, puis intégrée à la France comme département de Simplon. Genève et Valais se joindront, comme nouveaux cantons, à la Confédération helvétique en 1815.

L'agriculture et la viticulture dominent l'économie vaudoise ; l'octroi à Lausanne d'un statut de capitale politique et administrative favorisera son évolution comme centre urbain important, le seul du canton.

Tenons pour acquis qu'Amury Girod voit le jour en 1798 dans une commune vaudoise. En se proclamant Français, que voulait-il signifier ? Qu'il tenait de ses parents la citoyenneté française ? De sa famille, nous ignorons tout. Son père a-t-il précédé, accompagné ou suivi l'armée française ? S'était-il marié en France ou a-t-il épousé une Vaudoise ? Le couple a-t-il eu d'autres enfants ? Autant de questions sans réponse.

Si Girod pouvait légalement se déclarer Français, il lui était légitime de se qualifier de Suisse, pays où il a vécu la majeure partie de son existence, bien qu'il soit peu probable qu'on lui ait décerné la nationalité suisse.

De sa petite enfance, aucune trace ne nous est parvenue. La première information dont nous disposons concerne l'Institut d'Hofwil, établissement scolaire et agricole du canton de Berne, où il affirme à plusieurs reprises avoir été élevé. Qu'il ait fréquenté l'Institut paraît probable. La description qu'il fait de ses structures, de son fonctionnement et de ses programmes indique une connaissance précise de son organisation[3]. Dans un article sur son fondateur, Philippe-Emanuel von Fellenberg, il présente les grandes lignes de sa biographie et dans un autre, ses conceptions pédagogiques[4]. Girod montre dans ses écrits qu'il connaît bien et le personnage et l'œuvre.

Philippe-Emanuel von Fellenberg appartient à une vieille famille aristocratique de Berne ; il a vu le jour dans cette ville le 15 juin 1771. À la suite de ses années de formation primaire et secondaire, il a poursuivi en Allemagne des études supérieures en droit et en philosophie et fut marqué par l'influence de Rousseau, Kant et Fichte. Il a séjourné, en 1794, à Paris où il fréquentait les milieux républicains et ses compatriotes exilés, puis, une seconde fois, en 1798 comme secrétaire de l'ambassadeur de la Suisse. Girod précise, dans sa notice biographique, que Fellenberg a remis sa démission à la suggestion de Jean-François Reubell, membre du Conseil des Cinq-Cents et l'un des cinq directeurs du pouvoir exécutif de 1795 à 1799, qui lui révéla la corruption du gouvernement suisse et l'encouragea à quitter son poste et la carrière diplomatique.

L'année suivante, il s'installe dans son domaine de Wilhof situé dans la commune de Münchenbuchsee, près de Berne, et qu'il rebaptise Hofwil. Dès 1801, il ouvre une école pour accueillir les enfants abandonnés ou fugueurs et leur donner instruction et apprentissage. En plus de ses activités pédagogiques, il joue un rôle politique déterminant à Berne. Fellenberg meurt à Hofwil le 21 novembre 1844[5].

L'Institut d'Hofwil regroupe neuf établissements : cinq écoles, deux fermes et deux ateliers. Fellenberg a confié la direction de l'école des garçons à un pédagogue nommé Jean-Jacques Werhli, dont Girod vantera les mérites ; Margaretha Fellenberg, née Tscharner, s'occupe de l'école des filles. Les deux établissements offrent aux élèves un enseignement élémentaire accompagné de travaux pratiques. Une école scientifique supérieure, ou gymnase, procure un enseignement de niveau secondaire à des jeunes en provenance de plusieurs pays d'Europe et issus de familles aristocratiques et aisées. Une école normale destinée aux futurs instituteurs du réseau scolaire public et une école d'agriculture pour les propriétaires terriens complètent l'ensemble.

Une ferme modèle et une ferme expérimentale, un atelier de fabrication d'instruments aratoires et un atelier de perfectionnement des mécaniques agricoles permettent aux élèves des cinq écoles de recevoir une formation appliquée, définie selon leurs niveaux et leurs orientations.

Nous ignorons tout du cheminement scolaire du jeune Girod et ne pouvons que nous limiter à des conjectures.

L'école des garçons accepte les enfants dès l'âge de cinq ans jusqu'à dix-huit ans, nous apprend Girod. L'instruction porte sur la lecture et l'écriture, l'arithmétique, la géométrie appliquée à l'arpentage, l'histoire naturelle, l'histoire de la Suisse et la religion. Les plus jeunes amorcent leur formation pratique en cultivant des petits jardins, tandis que leurs aînés se livrent à des travaux à la ferme modèle et apprennent à fabriquer les outils nécessaires à l'agriculture. Vraisemblablement, Amury fréquente cette école entre 1805 et 1810.

Nous sommes porté à croire qu'il est autorisé à entreprendre des études secondaires au gymnase, vers l'âge de douze ans ; l'érudition qu'il manifeste par la suite, sa maîtrise du français, de l'allemand et de l'italien, ses connaissances en histoire et en sciences révèlent une solide formation avancée. « Si l'on découvrait dans un des enfans le germe de talens transcendans, Mr. F[ellenberg] se fit toujours un devoir de le placer à ses frais dans l'institut des classes supérieures », souligne, sans fausse humilité, Girod[6]. Il reçoit une éducation classique traditionnelle où l'étude des langues anciennes, grec et latin, précède celle des langues modernes, où la philosophie occupe une place importante, où les sciences, sans être négligées, restent marginales. Girod signale que « l'étude des langues anciennes y est poussée très loin, peut-être trop loin et en cela Mr. F[ellenberg] a sacrifié à un préjugé de l'Europe. [...] Je crois qu'avec six ans en partie escroqués aux sciences exactes, aux sciences d'une nécessité bien reconnue dans la vie, on paie bien cher le plaisir de les [les grands écrivains anciens] lire dans l'original, au lieu d'en jouir dans une bonne traduction[7] ».

Il demeure possible, néanmoins, que Girod effectue ses études secondaires à Yverdon, dans le canton de Vaud. Johann Heinrich Pestalozzi, pédagogue suisse et mentor de Fellenberg, y a transféré en 1806 l'école qu'il avait fondée pour accueillir les enfants privés de leurs parents pendant la guerre provoquée par l'invasion française du général Ménard. Girod parlera de lui avec un grand respect, tout en accordant ses préférences aux méthodes pédagogiques de Fellenberg.

Quoi qu'il en soit, vers 1816, à dix-huit ans, Girod termine ses études secondaires et s'engage dans la vie active.

* * *

Vraisemblablement en 1819, il quitte son pays pour l'Amérique du Sud où il participe au mouvement révolutionnaire dirigé par Simon Bolivar. La fragilité de nos informations ne permet pas de l'affirmer avec certitude ; nous devons procéder par présomption.

En janvier 1832, lors d'une conférence prononcée à Québec, Girod explique : « Quand j'entrai d'Amérique du Sud, j'étais au moins 10 ans plus jeune que je ne le suis maintenant[8] », ce qui situe son départ vers 1821. En 1837, le directeur de *La Gazette de Québec* lui reproche « l'oubli des convenances jusqu'à provoquer ouvertement la violation des lois et la résistance à main armée au gouvernement qui lui donne asyle » et l'invite à retourner là d'où il vient[9]. Girod réplique « qu'il ne retournera ni au Mexique, ni en Colombie, parce que tel est son bon plaisir[10] ». Dans une lettre écrite en 1840, son épouse rappelle ses services dans la guerre sud-américaine, sous Bolivar.

Simon Bolivar naît à Caracas, au Venezuela, en 1783, et meurt à Santa Marta, en Colombie, en 1830. L'année 1819 demeure déterminante dans sa longue quête pour la libération des colonies espagnoles au nord et à l'ouest du Brésil. En janvier, il ne contrôle encore que l'intérieur du Venezuela : la plaine des Llanos, drainée par l'Orénoque et ses affluents, et le plateau de Guyane. Il établit sa capitale provisoire à Angostura[11] où se réunit le premier Congrès des représentants du peuple le 15 février 1819 ; le Libertador est élu président de la nouvelle république du Venezuela.

Avant de marcher sur la côte des Caraïbes, Bolivar et ses troupes s'emparent, en août 1819, de Bogotá, capitale de la Nouvelle-Grenade. Ce n'est qu'après sa victoire décisive de Carabobo en 1821 que la totalité du territoire vénézuélien est libéré et que l'armée espagnole évacue Caracas. Avec l'Équateur conquise en 1822, le Venezuela et la Nouvelle-Grenade formeront un seul État, la République de la Grande-Colombie dont Bolivar devient le premier président. Voilà pour les moments forts de l'histoire militaire de ces années.

Pendant cette même période, Bolivar définit les grandes lignes de son projet de gouvernement; la mise en place d'un réseau scolaire public constitue sa grande priorité. Dans son discours devant les membres du Congrès, en février 1819, il souligne avec force: « L'éducation populaire doit être la première préoccupation de l'amour paternel du Congrès[12] ». Il propose la création d'une Chambre de l'éducation chargée d'instituer, d'organiser et diriger les écoles primaires de garçons et de filles; le 1er septembre, il adopte un décret pour fonder à Angostura une école à l'intention des orphelins et des pauvres.

Le Libertador a lu et relu Rousseau dont il adopte les vues sur l'éducation. Il retient pour l'enseignement primaire le système d'écoles mutuelles imaginé par Joseph Lancaster, autre disciple de Rousseau. Dans ce type d'école, l'instituteur choisit parmi ses meilleurs sujets des moniteurs qui assurent l'instruction de l'ensemble des écoliers répartis, selon leur niveau et l'activité d'apprentissage, en autant de groupes. Une école mutuelle, avec un seul maître et une dizaine de moniteurs, peut recevoir trois cents élèves. L'enseignement mutuel permet de pallier le manque d'instituteur et, au début du XIXe siècle, se propage en Angleterre, en France, en Italie et ailleurs.

Joseph Lancaster, né à Londres en 1778, a ouvert sa première école à l'âge de vingt ans, dans la maison paternelle, pour accueillir les enfants pauvres du quartier. En 1803, il publie son ouvrage *Improvements in Education, as its respects the industrious classes of the community* dans lequel il expose sa méthode. Cinq ans plus tard, il dirige la Royal Lancaster Society qui chapeaute plusieurs écoles. Bon pédagogue mais mauvais administrateur, il doit déclarer faillite et se réfugier aux États-Unis, d'abord à Philadelphie, puis à Baltimore. En 1820, appelé par Simon Bolivar, il se rend à Caracas pour mettre en place un réseau d'écoles dans les nouvelles républiques andines. De nouveau, il accumule des dettes que Bolivar refuse de rembourser. Il quitte le Venezuela en 1828 et, après un court séjour à New York, gagne Montréal où il ouvre une école mutuelle en septembre 1829[13].

Et Girod, pendant ce temps? Quels services rend-il? Et où?

Deux hypothèses s'offrent à nous. La première suggère un engagement volontaire dans les troupes révolutionnaires, en compagnie des nombreux jeunes Européens venus joindre la cause de l'indépendance des colonies espagnoles. Selon la deuxième, il a précédé Lancaster pour mettre en place, à Angostura ou Bogotá, une école d'agriculture inspirée du modèle de Fellenberg.

Faute d'éléments tangibles, nous ne pouvons élaborer davantage et encore moins expliquer les motifs qu'il l'ont amené en Amérique. Ajoutons cependant que c'est en 1820 ou 1821, semble-t-il, qu'il unit son destin à celle qui signera M. Girod. « M » pour Maria, Marta, Manuela ou Margarita? Retenons Maria pour les fins de cette histoire. Maria donne naissance, à une date inconnue, à un garçon, Juan, dont nous reparlerons.

Girod, sa femme et leur enfant quittent la Grande-Colombie en 1821 pour la Suisse, bien qu'il ne l'ait jamais clairement affirmé. Deux éléments plaident en faveur de cette assertion. En 1831, il déclare qu'il s'est entretenu avec

Pestalozzi «peu de semaines avant qu'il ne descendit dans la tombe[14]», ce qui situe cette conversation à la fin de 1826 ou au début de 1827, le pédagogue suisse étant décédé à Brugg le 17 février 1827. Il écrit aussi : «La comptabilité d'Hofwyl que j'ai assez souvent examinée[15].» Ce n'est pas comme élève qu'il a pu se livrer à cet exercice ; il serait donc retourné à Hofwil où Fellenberg lui aurait confié des responsabilités administratives et peut-être un poste de professeur. Nous n'avons trouvé aucune source permettant de confirmer son retour sur les lieux de son enfance.

C'est vraisemblablement durant ces années qu'il voyage en France et en Allemagne rhénane, peut-être en Espagne. ll visite des Maisons de refuge qui reçoivent les jeunes délinquants et des Maisons de travail qui hébergent vagabonds et miséreux pour leur apprendre un métier[16]. Est-ce Fellenberg qui lui a confié cette mission ?

* * *

Vers 1828, Girod traverse de nouveau l'Atlantique, cette fois pour le Mexique. Là encore, les preuves sont minces. Dans le *Journal historique des événements arrivés à Saint-Eustache*, publié en 1838 et attribué à l'abbé François-Xavier Desèves, l'auteur affirme qu'il était «entré au service mexicain où il avait [...] occupé le grade de lieutenant colonel de cavalerie[17]». Girod écrit lui-même un court article[18] sur Lorenzo de Zavala, ancien ministre des Finances du Mexique en 1828 et 1829 et dont le gouvernement a ordonné l'arrestation en 1835 ; il révèle une bonne connaissance des événements politiques de cette période. Qu'en est-il ?

En 1828, se déroulent les élections à la présidence du Mexique où s'affrontent le conservateur Gomez Pedraza et le libéral Vincente Guerrero ; le collège électoral retient la candidature de Pedraza. Intervient Santa Anna, qui avait renversé Iturbide en 1823 et instauré la république en 1824 ; il prend parti pour Guerrero. Des émeutes dans le pays et une mutinerie de l'armée forcent Pedraza à démissionner et le Congrès nomme Guerrero à la présidence[19].

Le roi d'Espagne, Ferdinand VII, qui n'a jamais reconnu l'indépendance du Mexique, espère pouvoir profiter de la crise politique pour reprendre possession de son ancienne colonie. Une armée espagnole, commandée par Barradas, débarque au printemps 1829 sur la côte mexicaine et s'empare de Tampico, mais la fièvre jaune décime ses troupes. Girod précise : « L'armée en face [de] l'ennemi, la disette et l'épidémie dans le camp, sans vêtement et sans nourriture, se couvrit de gloire et força Barradas à capituler[20]. » Le général de l'armée mexicaine, Santa Anna, tire les lauriers de sa victoire. Girod est-il présent ? Possible.

Le président élu éprouve des difficultés à gouverner ; son ministre des Finances, Zavala, démissionne. Une nouvelle mutinerie de l'armée force le président Guerrero à s'enfuir en janvier 1830 ; le vice-président Anastasio Busmante le remplace. Puis Santa Anna prend le pouvoir en 1834 par un coup d'État. Et Zavala ?

En fuite, il gagne la partie orientale de l'État de Coahuila, le futur Texas, où se sont installés des colons américains qui revendiquent l'autonomie du territoire. En 1835, le Texas se détache du Mexique et déclare son indépendance, avec David Burnet comme président provisoire de la nouvelle république et Zavala à la vice-présidence ; on sait que le Texas se joindra aux États-Unis en 1845. Selon Girod,

> Zavala triompha à son tour en faisant écouler 2 millions de piastres aux États-Unis, où il accompagna Barradas [le général espagnol vaincu], qui en vrai loyal, s'était rendu à raison de la moitié de la caisse militaire. Sans doute Zavala a rendu un grand service à la cause de la légitimité [de la Couronne espagnole], et recueillit en paix les fruits de son dévouement dans les anciennes colonies britanniques[21].

Pas très claire, la prose de Girod, mais il rapporte des détails qui laissent croire qu'il suit les choses de près. S'il a combattu dans la cavalerie sous le commandement de Santa Anna, retenons l'hypothèse qu'il met fin à son engagement après la victoire de Tampico et quitte la Mexique pour les États-Unis, à la Nouvelle-Orléans.

Dans son ouvrage paru à Montréal en août 1834, il écrit: «Je publierai peut-être mes observations sur les États-Unis; mais ce ne sera qu'après y avoir *encore une fois* résidé pendant un an ou deux[22].» Dans *La Gazette de Québec*, en janvier 1838, un inconnu qui signe «Un vrai Suisse» affirme que des gens l'ont reconnu à Québec et le disaient originaire de la Nouvelle-Orléans où il se serait établi sous un nom d'emprunt; ces gens le soupçonnaient même d'y être né. Que Girod ait vécu entre 1828 et 1830 dans cette ville paraît plausible; par contre, nous ne voyons pas pourquoi il aurait adopté une nouvelle identité. Nous avons retracé plusieurs familles Girod, toutes d'origine française, qui y habitaient à cette époque et Amury n'avait aucune raison de taire son patronyme. À moins, bien sûr, qu'il ait quitté la cavalerie de l'armée de Santa Anna avant la fin de son engagement et qu'il ait craint d'éventuelles poursuites; mais cela n'est que pure spéculation.

Qu'importe. Chose sûre, Girod a appris l'anglais qu'il maîtrisera suffisamment pour écrire dans cette langue.

* * *

Durant ces années, celles de l'enfance et de la jeunesse, Girod a acquis les connaissances littéraires, scientifiques, politiques et historiques que ses écrits révéleront. Il a developpé un intérêt marqué pour l'éducation et l'agriculture et une sensibilité certaine aux questions sociales, dont le sort des pauvres et des miséreux. Ses aventures sud-américaine et mexicaine l'ont conduit à dénoncer la domination des puissances européennes sur les populations assujetties de leurs colonies et à apprendre des notions d'art militaire.

Il a franchi le cap de la trentaine. Le temps est venu de s'installer, avec sa femme et son enfant, dans un milieu où il pourra déployer des activités intellectuelles à la mesure de ses aptitudes et de ses capacités. À l'été 1831, Amury, Maria et Juan Girod arrivent à Québec.

Aux années couvertes d'ombre succèdent celles des certitudes.

CHAPITRE DEUXIÈME

L'école d'agriculture de Québec

L A VILLE QUE DÉCOUVRE GIROD porte toujours, pour peu d'années il est vrai, le titre de métropole canadienne. Avec ses 32 165 habitants en 1831, Québec regroupe une population légèrement inférieure à celle de la Nouvelle-Orléans, un peu plus élevée que celle de Montréal ; elle se situe au sixième rang des villes de l'Amérique du Nord. Ses habitants se regroupent dans quatre secteurs, chacun avec ses caractéristiques propres.

Dans la haute-ville, ceinturée de ses fortifications, vivent quelque 4300 citadins dans un réseau de rues étroites que séparent de larges espaces libres d'habitation. Sur la place d'Armes s'ouvre le château Saint-Louis, résidence du gouverneur général et siège de l'administration coloniale ; s'y élèvent aussi le Palais de justice et la cathédrale anglicane. La place du Marché s'étend entre la cathédrale Notre-Dame et l'ancien collège des Jésuites transformé en caserne pour les troupes britanniques ; derrière celles-ci, un grand terrain a été aménagé pour l'exercice des fantassins. Le parc de l'Esplanade, entre les remparts et la rue d'Auteuil, permet aux badauds du dimanche d'assister à une parade militaire ou à une joute de cricket. De vastes jardins et des cours entourent le couvent des Ursulines, le monastère des Hospitalières, avec l'Hôtel-Dieu, et le séminaire des prêtres des Missions étrangères ; s'ajoutent les jardins du gouverneur, fermés au public. La citadelle, dont la construction amorcée en 1820 vient d'être terminée, domine la ville de ses murailles en pierre et assure sa protection contre d'hypothétiques attaques terrestres et maritimes.

La basse-ville s'étend au pied des falaises, sur la rive du fleuve Saint-Laurent et le long des battures de l'embouchure de la rivière Saint-Charles. Sur les lieux où Champlain fonda Québec en 1608, des travaux de comblement et de terrassement et la construction de quais ont permis d'agrandir considérablement l'espace utile, d'ériger de nouveaux bâtiments et de prolonger des rues ou d'en ouvrir de nouvelles. Aux maisons en pierre de plusieurs étages se sont ajoutés les vastes entrepôts en bois des marchands. La basse-ville regroupe 11 200 résidents. Durant la saison de navigation, d'avril à novembre, la population s'accroît des équipages du millier de navires qui accostent au port chaque année ; dans l'attente d'un départ, les matelots envahissent la longue rue Champlain où dominent auberges, maisons de chambres, tavernes et bordels.

Deux faubourgs complètent l'agglomération urbaine. Celui de Saint-Jean prolonge la haute-ville, à l'extérieur des remparts. Limité à l'ouest par de vastes terrains réservés aux manœuvres militaires, il loge environ 8500 habitants, bourgeois, artisans et ouvriers.

Le second faubourg dit de Saint-Roch, dans la plaine de la rivière Saint-Charles, sur la rive droite, connaît un développement continu. Ses 8000 habitants, en 1831, vivent dans des maisons en bois construites dans les rues aménagées en damiers. Il est peuplé essentiellement d'ouvriers dont une bonne partie travaillent dans la douzaine de chantiers navals qui répondent aux commandes de la marine impériale et des armateurs britanniques.

Siège des pouvoirs politique, militaire et religieux, ville portuaire de premier plan, Québec profite de la croissance économique que traverse le pays. Le commerce des fourrures a cédé la place à celui du bois qui connaît une expansion spectaculaire pour combler les besoins de la Grande-Bretagne. Le bois représente 75 % des exportations qui transitent sur les quais de la basse-ville ; la potasse produite dans la région de Montréal et transbordée à Québec occupe la seconde place dans la circulation des marchandises vers Londres et Liverpool. Au retour, les navires importent les marchandises destinées aux consommateurs du marché canadien : tissus, outillage, vaisselle, mobilier, etc.

En revanche, l'agriculture bat de l'aile. Les terres surexploitées et des techniques désuètes donnent un rendement décroissant. Les cultivateurs résistent aux changements nécessaires et maintiennent leurs pratiques ancestrales ; plusieurs ont remplacé la culture du blé par celles de l'avoine, de la pomme de terre et des pois qui s'accommodent d'un sol moins riche.

La restructuration économique profite surtout aux marchands anglais et écossais des centres urbains dont ils contrôlent les activités. Ils ont créé la Banque de Montréal en 1813 et la Banque de Québec en 1818 pour faciliter leurs transactions et l'accès au crédit ; un Comité de commerce, qui prendra le nom de Chambre de commerce en 1842, défend leurs intérêts auprès des autorités politiques. Dans la population canadienne, quelques marchands installés dans les villes et les paroisses rurales participent aux activités commerciales, mais à une échelle plus modeste.

L'Acte constitutionnel de 1791, qui avait créé le Bas et le Haut-Canada, a doté chaque colonie d'une Chambre d'assemblée dont les députés sont élus au suffrage censitaire. Une Chambre haute ou Conseil législatif, dont les membres sont nommés, doit approuver les lois adoptées par la Chambre basse avant qu'elles soient soumises à la sanction royale. Le gouverneur général est le représentant du roi dans ses colonies de l'Amérique du Nord; dans celles du Haut-Canada, du Nouveau-Brunswick, de la Nouvelle-Écosse et de l'Île-du-Prince-Édouard, ses pouvoirs sont délégués à un lieutenant-gouverneur, pouvoirs qu'il assume lui-même au Bas-Canada. Il a la main haute sur l'administration de la colonie, assisté d'un Conseil exécutif dont il contrôle les nominations; c'est lui aussi qui nomme les officiers de la milice, les magistrats de l'appareil judiciaire et les responsables de l'administration des services publics: routes, canaux, postes et douanes.

La classe politique se divise en deux grandes tendances, les Bureaucrates et les Réformistes, qui se sont formées au fil des années, sans que l'on puisse pour autant parler de groupes structurés et stables. Les apparentements varient selon l'objet d'un débat ou du contenu d'un projet de loi, bien que, de part et d'autre, des noyaux durs s'opposent en permanence et défendent des positions irréconciliables.

Les Bureaucrates, qui appuient l'administration du gouverneur et de ses «bureaux», réunissent l'oligarchie de la colonie: marchands, entrepreneurs et financiers d'origine anglaise et écossaise; s'ajoutent les cadres de l'administration civile, ceux de l'armée et ceux du système judiciaire, sans oublier les «chouayens», terme de mépris donné aux Canadiens qui expriment un loyalisme inconditionnel à la Couronne britannique et à ses représentants.

Les Réformistes rassemblent les membres de la bourgeoisie professionnelle: notaires, avocats et médecins; du milieu intellectuel: instituteurs et journalistes; du secteur commercial: marchands et aubergistes. La grande majorité d'entre eux sont issus de familles canadiennes, bien qu'une partie significative soit d'origine anglaise et surtout irlandaise. Ils expriment des idées libérales qui heurtent à la fois les autorités coloniales et le clergé. Avec l'appui général de la population apte à voter, leurs représentants contrôlent la Chambre d'assemblée, sous la direction de Louis-Joseph Papineau et de John Neilson ; ils entrent régulièrement en conflit avec le gouverneur et le Conseil législatif dont ils qualifient les membres de « vieillards malfaisants ».

Réformistes et Bureaucrates s'opposent sur de nombreuses questions. Les premiers, majoritaires à la Chambre d'assemblée, souhaitent rendre électif le mode de nomination des membres du Conseil législatif contrôlé par les seconds. Une revendication permanente des Réformistes exige que les crédits des dépenses publiques fassent l'objet d'une étude et d'une approbation annuelles par la Chambre basse. Un autre enjeu concerne l'instruction publique : malgré plusieurs lois pour l'encourager, il n'existe pas de réseau public d'écoles dignes de ce nom et la majorité des enfants n'ont pas accès à l'éducation élémentaire.

Les Réformistes ont engagé des batailles épiques pour s'opposer au projet d'union du Bas-Canada et du Haut-Canada, appuyé par les Bureaucrates, et ont réussi à forcer le gouvernement de Londres à battre en retraite. Ils ont combattu, sans succès cette fois, l'imposition des lois anglaises, plutôt que les lois existantes héritées de la France, dans les territoires extérieurs aux seigneuries et relevant directement de l'autorité du roi.

Ils ont proposé de remettre la gestion des biens religieux à des conseils de fabrique nommés par les propriétaires fonciers de chaque paroisse ; le Conseil législatif a refusé d'approuver les lois adoptées en ce sens.

Tel est le contexte politique, social et économique que Girod apprendra à connaître et où il sera appelé à jouer un rôle à la mesure de ses convictions. Pour l'instant, il doit se tisser un réseau de relations et se trouver des sources de revenus. Il s'oriente naturellement vers des activités intellectuelles où la parole et l'écrit lui permettront de manifester ses talents de communicateur et de transmettre ses connaissances aussi nombreuses que variées.

Première démarche, se trouver un logement. Nous ne savons pas grand-chose à ce sujet. Un avis publié en février 1832[1] nous apprend que Girod peut être rejoint à la place du Marché, dans la basse-ville ; y a-t-il trouvé une pension pour s'installer avec Maria et Juan ? Possible. Quant à ceux-ci, nous n'avons découvert qu'une seule référence ; Girod raconte une anecdote où nous pouvons lire : « Tiens, dit mon petit garçon, voilà encore l'inspecteur des routes, mais il est dans un cabriolet avec un monsieur [...] ; que veux-tu parier, papa, c'est un petit avocat qui cherche à faire querelle. Tais-toi, mon fils, lui dis-je[2]. » Et c'est tout sur sa famille.

Si Girod habite effectivement place du Marché, la rue Notre-Dame lui permet de gagner rapidement la côte de la Montagne qui conduit à la haute-ville. Au numéro 11 s'ouvrent les bureaux du *Canadien* où il ne tarde pas à pénétrer et offrir ses services au directeur, Étienne Parent.

Natif de Beauport, Parent a étudié au collège de Nicolet et au séminaire de Québec, et acquis une formation en droit. Il a entrepris très jeune, à dix-huit ans, une carrière de journaliste, au *Canadien* qui a cessé de paraître en 1825, puis à *La Gazette de Québec*. En mai 1831, avec Jean-Baptiste Fréchette, il relance *Le Canadien* dont il sera le principal rédacteur, tandis que son coéditeur s'occupera de l'administration et de l'imprimerie.

Le cartouche porte en sous-titre « Nos institutions, notre langue et nos lois » qu'il s'engage à promouvoir et à défendre, lorsque nécessaire. Apôtre du droit des peuples à l'autodétermination et de l'égalité entre les nations, d'esprit libéral, Parent se porte à la défense des intérêts collectifs des Canadiens contre les politiques coloniales de Londres et de ses représentants à Québec. *Le Canadien* contribue à diffuser les idées et les revendications des Réformistes. Le directeur ouvre largement les pages de son journal à des collaborateurs externes pour traiter des grands débats qui animent la société canadienne, notamment les lacunes de système scolaire et les faiblesses de la production agricole.

Parent dirigera *Le Canadien* jusqu'en 1842 et entreprendra alors une carrière de conférencier, puis de fonctionnaire. Il mourra à Ottawa en 1874, à l'âge de soixante-douze ans[3].

* * *

Tout indique que Parent subit le charme de Girod dont il apprécie les idées et l'érudition. C'est vraisemblablement lui qui l'introduit dans la bonne société de Québec et l'aide à établir des contacts utiles ; il lui propose de publier dans *Le Canadien* ses considérations sur l'éducation et l'agriculture. Le journal imprime la réponse de Girod.

Monsieur,

Vous avez exprimé le désir de faire connaître au public du Bas-Canada l'institution agricole de Mr Fellenberg où j'ai été élevé. C'est avec plaisir que je vous communique quelques articles sur cet objet. Peut-être leur lecture fera naître dans l'esprit de maint patriote le désir d'établir quelque chose de semblable dans ce pays. Tout ce que vous pourrez demander de moi sous ce rapport est d'avance accordé[4].

La série s'ouvre par deux articles sur Hofwil[5]. Dès le départ, Girod souligne que l'objectif principal poursuivi par Fellenberg est « l'éducation, c'est-à-dire de former le cœur et le caractère, de développer l'intelligence, de donner au corps de la force et de l'adresse et de fortifier le tempérament ». Il présente par la suite un à un les neuf établissements qui composent l'institut d'Hofwil. La description est précise et factuelle, avec des considérations sur l'importance d'une large et solide éducation générale, sur laquelle vient s'appuyer l'instruction, c'est-à-dire l'enseignement des disciplines scolaires.

Puis, il publie six articles sous le titre général : « Sur l'application du système d'Hofwyl au Bas-Canada[6] ». Il suggère de créer, dans chacun des districts de Québec, Trois-Rivières et Montréal, une institution qui comprendrait une école normale, une école pour les garçons âgés de cinq à vingt ans et une ferme modèle ; il estime les coûts annuels de fonctionnement à 3000 livres. Ses propositions portent tant sur la direction et la gestion que sur les programmes ; il insiste sur l'importance de l'enseignement des sciences, des mathématiques et de l'histoire naturelle, les autres matières n'étant qu'auxiliaires aux premières. Il ajoute ici et là des considérations d'ordre pédagogique et des remarques sur la façon d'adapter les idées de Fellenberg à la réalité canadienne.

S'écoulent deux semaines et Girod amorce le 22 octobre la publication d'une étude intitulée : « Sur l'agriculture pratique ». Il annonce qu'il traitera trois sujets : « I. La connaissance exacte du sol et son amélioration. II. Une connaissance des différentes plantes, de leurs propriétés, de leur culture, et de leurs fruits. III. Une connaissance des moyens auxiliaires. » Il y consacre neuf articles[7] où il traite longuement et en détail de l'utilisation des engrais d'origine animale et végétale pour accroître la fertilité des sols et le rendement des cultures ; il parle également des engrais d'origine minérale qui contribuent à la production des précédents.

En décembre, il présente ses idées « Sur un système d'éducation publique au Bas-Canada[8] ». Il préconise la création d'écoles élémentaires pour les enfants âgés de six à douze ans où ils apprendraient la lecture, l'écriture et le calcul, un peu d'histoire et recevraient en plus une formation pratique en agriculture. Il suggère l'ouverture d'écoles supérieures pour les jeunes âgés de douze à dix-huit ans qui se destinent au commerce, aux arts et aux métiers, l'enseignement se doublant là aussi d'une formation pratique. Enfin, s'ajoute à ce projet une école normale pour former les maîtres des écoles supérieures et des écoles élémentaires. Il termine en proposant que chaque village assure la construction d'une maison d'école et que tous les citoyens, à savoir les hommes mariés et célibataires, paient une taxe pour couvrir les frais de l'enseignement élémentaire, dont le salaire de l'instituteur.

Durant le même automne, toujours dans les pages du *Canadien*, Girod s'étend sur les vertus de l'éclairage au gaz[9]. La présentation très technique nous laisse songeur sur l'intérêt que sa savante étude peut susciter chez ses lecteurs.

En novembre, il se lance dans une tout autre direction avec une analyse comparée de l'évolution des institutions de l'Angleterre et de la France[10]. Sur un fond de scène historique, il entreprend

> d'examiner un peu les causes par lesquelles leurs gouvernements avaient pris une forme entièrement différente. Peut-être que nous pourrons nous rendre compte par cet examen de l'ancienne antipathie et de la sympathie bien prononcée de ces deux nations dans les circonstances actuelles.

Dans un autre écrit, il appuie avec ferveur une proposition du député de Québec, Andrew Stuart, de créer à la bibliothèque parlementaire une section « histoire de l'Amérique » et d'acquérir des documents d'archives et des cartes géographiques. Girod souligne l'importance des sources françaises, particulièrement celles de la Bibliothèque royale, rue Richelieu à Paris, et de la bibliothèque de Rouen « où, je me rappelle bien, j'ai vu plusieurs manuscrits[11] ».

Avec ces textes, Girod lance sa carrière de journaliste indépendant qu'il poursuivra pendant des années. Il a la fringale d'écrire et tout prétexte est bon pour se manifester. Analyses, commentaires, polémiques, lettres à l'éditeur paraîtront régulièrement dans les journaux de la capitale et dans ceux de Montréal.

Sa plume révèle une maîtrise du français écrit. Il manifeste une aisance remarquable à passer d'un genre d'expression à un autre et à manier les effets de style et les figures de rhétorique, au risque de rendre parfois la lecture difficile. Sa culture historique, littéraire et scientifique atteste une excellente formation qu'il a bien assimilée. Lui manque, il le signale à plusieurs reprises avec une modestie un peu feinte, une meilleure connaissance de la réalité canadienne.

Si Étienne Parent lui ouvre largement les pages du *Canadien,* nous ignorons s'il lui verse une quelconque rétribution pour sa prose ; dans l'hypothèse où Girod touche des émoluments, parions sur la modicité de ceux-ci.

Plus élevés doivent être les cachets qu'il reçoit pour les leçons qu'il donne et les conférences qu'il prononce. Le Quebec Mechanic's Institute, qui a ouvert ses portes en 1830, a retenu ses services pour offrir un cours sur les mathématiques appliquées aux arts techniques et aux métiers à l'intention de ses membres et du public en général : ouvriers, artisans et entrepreneurs ; l'enseignement se déroule dans les locaux de la National School, dans la haute-ville. Dans sa leçon inaugurale, le 17 novembre, Girod donne le ton :

> Notre objet, c'est de combler l'abîme que l'ignorance et la présomption ont creusé entre la science et l'industrie. L'érudition du savant est stérile si elle ne devient pas utile à la vie pratique ; les arts de l'industrie sont irréguliers et sans précision sans l'aide de la science. Rien de plus faux que cette distance imaginée entre l'une et les autres ; rien de plus ridicule ni de plus pernicieux à la science même que le mépris de la pédanterie pour la main qui exécute ; rien de plus déraisonnable que le dédain de la main pour la tête théorique[12].

Propos quasi révolutionnaires que ce souci de réconcilier théorie et pratique, cette volonté de supprimer le fossé qui sépare le savant de l'ouvrier, cette préoccupation d'amener la

classe intellectuelle et la classe laborieuse à unir leurs compétences. Girod présente cinq leçons au Mechanic's Institute,
la dernière le 12 janvier 1832.

Nous savons aussi que les officiers de l'artillerie de la
milice ont invité Girod à leur donner un cours de sciences
appliquées, plus précisément un « cours de mathématiques et
de pyrotechnie[13] ». Il s'adresse à eux dans une salle des
casernes de l'artillerie aménagées à l'angle nord-est des remparts, près de la côte du Palais. Ses élèves assurent eux-mêmes
les coûts par des souscriptions que prélèvent « Mr. Burrough,
paie-maître de ce corps ».

Nous pouvons affirmer, sans risque de nous tromper,
qu'Étienne Parent n'est pas étranger à ces offres que reçoit
Girod. Et que c'est lui qui facilite son accès à la prestigieuse
tribune de la Société historique et littéraire de Québec.

La naissance de la société savante remonte au 6 janvier
1824 lorsque lord George Ramsay, comte Dalhousie, gouverneur général des colonies britanniques d'Amérique du Nord,
créa The Literary and Historical Society of Quebec. Elle a
fusionné en 1829 avec la Société pour l'encouragement des
sciences et des arts au Canada fondée par Joseph Bouchette,
tout en conservant son nom doublé d'une version française.
Ses membres, dont un quart d'expression française, proviennent des milieux parlementaire, militaire, professionnel et
intellectuel ; parmi eux, le géographe Joseph Bouchette, l'historien François-Xavier Garneau, le protonotaire et pédagogue
Joseph-François Perrault, le journaliste Étienne Parent[14].

La Société tient ses réunions au château Saint-Louis, résidence du gouverneur ; si les conférenciers invités s'adressent
au public surtout en anglais, plusieurs utilisent le français dans
leurs présentations. La Société s'est dotée d'une bibliothèque,
d'un musée et d'un dépôt d'archives. En 1830, son président
était Jonathan Sewell, juge en chef du Bas-Canada, à qui a
succédé James Stuart, procureur général de la colonie.

Tribune prestigieuse, donc, que cette Société qui réunit les grands noms de la capitale. Les sujets les plus divers sont traités, du domaine des arts et des lettres à celui des sciences, avec une place importante pour l'histoire.

Girod prononce sa première conférence le samedi 17 décembre 1831, une seconde le 7 janvier 1832 et une troisième le 21 janvier. Les *Transactions*, publication sporadique de la Société, n'ont pas reproduit sa présentation, mais *Le Canadien*, peut-être sous la plume d'Étienne Parent, en publie des comptes rendus.

D'entrée de jeu, Girod élabore sur le travail de l'historien :

> C'est avec de vives couleurs, que souvent on pourrait nommer un peu caustiques, qu'il [Girod] expose les études du savant de métier, qui n'est assidu et studieux que pour satisfaire aux conditions requises pour obtenir une place et pour en récolter les revenus, et celles de la tête philosophique qui se dévoue à la science pour arriver à la connaissance de la vérité[15].

Pour lui, seul compte l'historien qui tire profit de « ce qu'on fait et pense autour de lui » et réunit en un tout cohérent ce qui ne serait qu'une « masse de fragmens sans l'esprit philosophique qui lie ces fragmens, qui fait de l'agrégat un système, un ensemble qui a une connexion raisonnée ».

Sur ces prémisses un peu alambiquées, l'orateur annonce qu'il traitera spécifiquement de l'histoire, de la géographie et des institutions politiques des nouvelles républiques de l'Amérique du Sud. Il en dégagera des principes généraux qui permettront de comprendre l'histoire du Canada et d'orienter son avenir ; ainsi :

> Le premier élément du bonheur politique, Messieurs, c'est une finance sage, économique, bien réglée, qui n'exige que ce qui est absolument indispensable ; le second, c'est une constitution libérale, que gardent non les bayonnettes, mais l'amour, mais le dévouement des citoyens, une constitution

qui donne à l'homme des jouissances pour l'exécution des devoirs[16].

Malheureusement, le rédacteur du *Canadien* juge trop étendue pour la rapporter la description de la politique coloniale de l'Espagne et de la situation dans ses territoires d'Amérique du Sud ; nous aurions appris ce qu'il a retenu de son aventure avec Simon Bolivar. Il se contente de citer un extrait qui révèle que le conférencier n'hésite pas à décrire une réalité que ses auditeurs ne peuvent s'empêcher de comparer à la situation canadienne.

> Depuis la conquête jusqu'en 1810, il n'y eut que 18 créoles parmi les 166 vice-rois et 588 capitaines généraux, et ces 18 durent leurs places à la circonstance qu'ils avaient été élevés en Espagne et par des Espagnols. Chaque aventurier espagnol fut sûr de faire fortune, d'obtenir des places et des honneurs, pendant que le créole croupissait dans l'obscurité ou obtenait avec peine une place inférieure.

Remplaçons créole par Canadien et Espagnol par Anglais, et le message de Girod devient transparent. Le rapporteur du *Canadien* passe sous silence les réactions des dignitaires présents dans la salle du château Saint-Louis ; froncements de sourcil et sourires figés manifestent sans doute leur désapprobation.

* * *

Girod n'entend pas se limiter à la parole et à l'écrit. Collaborer au *Canadien*, donner des cours et prononcer des conférences ne satisfait pas sa prédilection pour l'action. Il caresse un projet à la mesure de ses ambitions et de ses capacités, projet qu'il prépare de longue date. Le 5 octobre 1831, un lecteur du *Canadien*, qui signe « A. », écrit :

> Je vois avec plaisir depuis quelques temps les écrits que vous adresse un Monsieur Girod, élève du célèbre M. de

Fellenberg ; j'apprends avec plus de plaisir encore que ce Mr. serait assez disposé à établir en ce pays un établissement de cette nature[17].

Craignant que les idées de Girod ne soient mal accueillies, « A. » publie un article tiré d'un périodique parisien, *La Revue Encyclopédique,* et paru en avril 1827 où l'auteur décrit l'école rurale que Fellenberg a fondée à Maykirch à l'intention des enfants pauvres. Nous n'excluons pas que ce « A. » soit de fait l'initiale d'Amury...

Girod se consacre à la rédaction d'un mémoire qui explique son projet et dont il saisira la Chambre d'assemblée à la première occasion. Elle se présente le 15 novembre lorsque les députés et les conseillers législatifs se réunissent pour assister à l'ouverture de la deuxième session du 14e Parlement par le gouverneur, lord Mathew W. Aylmer. Dans les jours suivants, le député de la haute-ville de Québec, Jean-François Duval, dépose à la Chambre la requête de Girod ; le dossier est référé pour étude à un comité spécial de cinq députés.

Le 10 décembre, le comité spécial présente un rapport favorable : « [...] des résultats très avantageux pourraient être dérivés de l'établissement d'une École dans cette Province qui unirait les branches les plus nécessaires de l'Éducation à une connaissance de la théorie et de la pratique de l'Agriculture. » Le comité recommande une subvention annuelle de 227 livres, pendant les cinq années suivantes, pour l'instruction de trente élèves, soit quinze externes et quinze pensionnaires, plus une somme de 200 livres pour les frais de départ, « Ins-trumens d'Agriculture et Articles qui seront jugés nécessaires au dit Établissement[18] ». Le 14, le rapport est transmis au Comité permanent pour l'éducation et les écoles.

Le projet de Girod ne passe pas inaperçu et suscite des discussions. Étienne Parent sent le besoin d'intervenir : « Nous croyons de notre devoir, parce que nous connaissons

M. Girod personnellement plus que maint autre, de déclarer que de toutes les qualités européennes, celle de la *présomption* vis-à-vis des habitans de l'Amérique, est celle qu'il possède le moins[19]. » Autrement dit, on a beau accuser Girod d'être un étranger qui se croit supérieur, il n'est empreint ni de prétention ni de suffisance.

La société bien-pensante de Québec n'aime pas les étrangers, sauf s'ils sont Britanniques ; elle supporte encore moins ceux qui tente d'introduire des idées nouvelles. Ces premières sorties contre son statut d'aubain amorcent une longue série de sottes et ineptes dénonciations.

De son côté, Girod réplique à ses adversaires qui dénigrent son projet en critiquant les idées et les réalisations de Fellenberg. Il résume la biographie de son mentor et explique pourquoi celui-ci a dû se battre contre l'oligarchie suisse et les adversaires du libéralisme. Et de conclure : «Je crois fermement que la législation m'aidera, si elle juge dans sa sagesse que mon projet le mérite et l'honorable membre qui est la cause de cette esquisse sera alors le premier à y prêter la main[20]. »

Il y croit tellement, Girod, qu'il a déjà rédigé le prospectus qui annoncera l'ouverture de son école[21]. Il ignore que Joseph-François Perrault, le protonotaire de Québec, suit son dossier de près.

Perrault est né à Québec le 2 juin 1753. Son père, un marchand ruiné par la conquête, avait tenté sans succès de rétablir sa situation financière en Louisiane. Le fils, après quelques tentatives sans lendemain dans le commerce, se tourne vers l'administration publique où il assume les fonctions de greffier à la cour du Banc du roi et la responsabilité des archives judiciaires du district de Québec.

En 1796, il est élu député d'Huntingdon à la Chambre d'assemblée, mais durant son premier mandat il participe peu à ses travaux. Réélu en 1800, il s'engage activement dans son rôle de législateur, dans la cause de l'instruction publique et dans la promotion de l'école gratuite pour tous. Actif au sein de la Société d'éducation de Québec, il publie un *Cours d'éducation élémentaire*. Dans les années vingt, il participe aux activités de la Société d'école britannique et canadienne qui offre un enseignement en français et en anglais. Puis, il fonde ses propres écoles, dans le faubourg Saint-Jean de Québec l'une pour les garçons en 1829, l'autre pour les filles en 1831 ; la première accueille plus de deux cents élèves, la seconde une quarantaine. Il retient la méthode de l'enseignement mutuel tel que préconisé et mis en application par Joseph Lancaster dans son école de Montréal.

En octobre 1833, Perrault élabore un projet d'enseignement obligatoire pour tous les enfants de six à quinze ans, à la charge des parents, mais gratuit pour les pauvres, projet qui soulève l'ire des évêques de Québec et de Montréal. Le promoteur s'inspire largement de la loi que le ministre français de l'Instruction publique, François Guizot, a fait adopter le 28 juin 1833. Perrault meurt à Québec en 1844, à l'âge respectable de quatre-vingt-onze ans[22].

Adepte de l'intégration dans les écoles de la formation générale et de la formation pratique, idée nouvelle et audacieuse pour l'époque, fortement préoccupé par l'enseignement en milieu rural, Perrault se propose d'aménager une partie de son vaste domaine « L'Asile champêtre », rue Saint-Amable dans le faubourg Saint-Jean, pour permettre à une douzaine de garçons de son école « d'apprendre l'art du jardinage[23] ». Il ne peut qu'accueillir avec intérêt les idées de Girod.

Nous ignorons où et quand les deux hommes se rencontrent, et si Parent a servi d'intermédiaire. Quoi qu'il en soit, le contact établi entre les deux hommes, tout se déroule très vite. Perrault convoque, par un avis dans les journaux, les citoyens de Québec à une réunion dans la salle d'audience du

Palais de justice, le 7 janvier 1832, pour «délibérer sur les meilleurs moyens à adopter pour enseigner l'art de l'agriculture dans cette province[24]».

Le jour venu, le protonotaire prononce un discours sur l'importance de l'agriculture, puis entre dans le vif du sujet. Il soumet aux membres de l'assemblée une série de motions qui exposent les grandes lignes du projet et le mandatent pour prendre les choses en main. Elles sont formellement présentées par les députés de Montmorency, Elzéar Bédard, et de Kamouraska, Amable Dionne.

Perrault est chargé «d'affermer une terre, de la pourvoir d'instruments aratoires, d'animaux, et de toutes choses nécessaires pour les opérations agricoles; d'approprier les bâtiments pour la réception des pensionnaires et leur instruction». Il verra à «faire courir une souscription pour défrayer les premières dépenses, et ensuite à présenter annuellement une pétition à la législature pour une aide pécuniaire pour le soutien de l'établissement». Il lui reviendra de verser «un salaire à un habile professeur, auquel la dite ferme ainsi garnie sera livrée, pour y faire seul et sans contrôle les opérations agricoles qu'il jugera à propos, et donner aux élèves les instructions théoriques et pratiques dont il est capable[25]».

Cet habile professeur, bien sûr, c'est Girod. Sans le nommer, Perrault mentionne «la venue en ce pays d'un Monsieur qualifié en tous points pour conduire l'établissement de la ferme modèle que je vous propose; élevé dans un semblable établissement en Suisse, pays analogue au nôtre pour le climat et la culture, on ne peut en attendre que le plus heureux succès[26]».

* * *

Quatre jours plus tard, le 11 janvier, Girod publie dans les journaux de la capitale le *Prospectus de l'Institut canadien* annonçant la création «d'une ferme expérimentale et modèle pour en faire la base d'une institution semblable à celle d'Hofwyl, en Suisse ». Le texte reprend l'essentiel de celui qu'il avait déjà rédigé en décembre et apporte les ajouts et les changements rendus nécessaires par l'entrée en scène du protonotaire. Il explique que la direction lui en été confiée par Joseph-François Perrault « en conséquence de certaines résolutions prises dans une assemblée publique, le 7 Janvier 1832 ». Il présente ensuite les deux volets du projet.

Une « École pratique » admettra des élèves âgés de dix ans ou plus sachant lire et écrire. Le programme est ambitieux : l'histoire universelle, les langues et littératures françaises et anglaises, les mathématiques, le dessin linéaire, la tenue de livres, la géographie, l'histoire naturelle, la physique, la chimie, la musique vocale, la gymnastique. Curieusement, il ne précise pas la durée des études.

Une « École normale » formera des maîtres d'école pratique et admettra des jeunes gens âgés au moins de quinze ans et pourvus de témoignages de bonne conduite ; ils devront s'engager à pratiquer la profession d'instituteur pendant dix ans à leur sortie de l'école.

L'ouverture d'un troisième volet, une école classique ou gymnase, est envisagée si le nombre d'élèves éventuels permet d'engager des professeurs qualifiés. Girod apporte des précisions à ce sujet. L'élève ne se limitera pas à apprendre par cœur la grammaire grecque ou latine et pourra, à la fin de ses études, lire dans le texte Hérodote et Quinte-Curce ; il approfondira les sciences exactes et naturelles. Il devra « en quittant l'établissement ne pas craindre l'examen rigoureux qui précède l'inscription aux cours des Universités de Paris ou de Gattingue[27] ». Mais l'ouverture d'un gymnase exige de « très habiles professeurs qu'on ne trouve pas si aisément ». Ce troisième volet ne se concrétisera pas.

Innovation pédagogique, aucun examen n'évaluera le travail des élèves. Girod rejette ces exercices futiles où la mémoire de l'enfant cache son ignorance ; l'école sera accessible en tout temps aux parents et au public qui pourront juger de ses résultats. « La contrôle continuelle [sic] du public : voilà le meilleur examen. »

Le prospectus précise que « l'instruction religieuse des pensionnaires sera entièrement confiée aux ministres de leurs confessions respectives ; l'institution exigera qu'ils fassent le dimanche les devoirs prescrits par leur religion ». Il estime pertinent de souligner que « les punitions corporelles sont prohibées dans [son] institut et auraient pour conséquence la démission immédiate du maître qui s'en serait rendu coupable ». Nous retrouvons là un principe cher à Perrault qui s'oppose aux brutales mesures disciplinaires en vigueur dans les écoles et les collèges de l'époque.

Les droits de scolarité se montent annuellement à 12 livres[28] pour un élève de l'école pratique et à 10 livres pour celui de l'école normale ; s'ajoutent des frais de 15 livres pour la pension et de 8 livres pour la demi-pension, plus 1 livre pour l'entretien des vêtements. Les parents pourront acquitter en nature la moitié des frais. Les écoliers fourniront leur literie et leurs ustensiles : fourchette, couteau et cuillère. Ils porteront leurs propres vêtements, alors que les établissements privés imposent un uniforme à leurs élèves ; il s'agit d'un autre principe préconisé par Perrault.

L'ouverture de l'école est annoncée pour le 1er mai 1832.

Quelques jours après la publication du prospectus, le député de Portneuf, Hector-Simon Huot, déclare aux membres du comité permanent de la Chambre d'assemblée, le 18 janvier :

J'ai été informé par M. Perrault, Président d'une Société formée à Québec, d'après le Plan recommandé par M. Girod, qu'il ne s'attendait point à avoir d'aide de la législature pour cette année ; que la Société se proposait de faire des expériences privées, et que si elles réussissaient, la

Société viendrait l'année prochaine demander une aide à la Législature[29].

Les raisons qui ont incité Perrault à poser ce geste surprennent, sachant que le premier comité avait recommandé une subvention annuelle de 227 livres et une autre d'investissement de 200 livres. Sans une aide de l'État pour couvrir, même partiellement, les coûts d'aménagement des bâtiments et les premières dépenses courantes, il s'impose d'importantes contraintes financières et réduit les chances de succès d'un projet qui battra de l'aile dès le départ. La seule explication plausible paraît reposer sur son désir de garder le contrôle des affaires, sans devoir référer aux commissaires à qui la Chambre d'assemblée aurait demandé de s'assurer de la saine utilisation des subventions, de veiller au bon fonctionnement de l'établissement et de rendre des comptes à l'État. Nous ignorons la réaction de Girod ; qu'il ait été ou non consulté, quelle que soit son opinion, dans les circonstances, il ne peut que s'incliner.

Perrault, seul maître à bord, continue à foncer. Le 9 février, il signe avec Michel Louis Juchereau-Duchesnay, seigneur de Beauport, un bail de cinq ans pour une terre de 120 arpents, avec bâtiments, située à Petite-Rivière, à une lieue et demie [six kilomètres] de Québec, sur la route qui conduit à L'Ancienne-Lorette. Le loyer annuel se monte à 150 livres et inclut une vaste maison assez grande pour loger une cinquantaine d'écoliers ; il s'agit de la résidence de campagne que s'était fait construire le juge Jenkin Williams à la fin du siècle dernier[30].

Ce même 9 février, il signe le contrat d'engagement de Girod, aussi d'une durée de cinq ans, prévoyant un salaire annuel de 150 livres tirées « des deniers qu'il recevra tant de la souscription qu'il fait courir dans le public que de la législature ». Le futur directeur de l'école « s'engage à donner tous ses soins à conduire l'établissement d'après ses connaissances agricoles et de faire des élèves qui pourront les enseigner théoriquement et pratiquement dans la Province[31] ».

Éducation libérale, enseignement laïque, pédagogie nouvelle, direction confiée à un étranger, protestant de surcroît, tout cela soulève des critiques. Un dénommé CH. Blanchet entreprend de défendre le projet. Un dénommé ou une dénommée ? CH pourrait être les initiales de Catherine-Henriette, sœur de Michel Louis Juchereau-Duchesnay et épouse de François Blanchet, médecin et ancien député de Bellechasse, décédé en 1830 ; il a siégé avec Joseph-François Perrault au conseil de la Société d'éducation de Québec et, entre autres, encouragé la création d'un collège agricole.

CH. Blanchet, qui déclare avoir quitté la Suisse trois ans auparavant, vante les mérites et les réalisations de Fellenberg et juge approprié et essentiel d'introduire au pays ses idées et ses méthodes[32] ; « j'espère que M. Girod réussira dans sa tentative ; je lui souhaite les mêmes succès que M. Fellenberg a obtenus. » Il dénonce ceux qui reprochent à Girod d'être un étranger ; au contraire, seul un étranger peut introduire une approche qui a fait ses preuves ailleurs : « [....] l'école de M. Girod sera établie d'après un plan nouveau, plus en harmonie avec les besoins du siècle, et à la hauteur de l'état actuel de la civilisation et des connaissances humaines. »

La réaction de Girod ne tarde pas, mais déconcerte : « Je ne méconnais pas les bonnes intentions de ce Monsieur [Blanchet] ; mais je dois repousser tout ce qui ressemble à une réfutation d'objections (faites par des anonymes) à mon institut et à moi-même. [...] Mr. Blanchet m'imposera une grande obligeance en m'abandonnant entièrement ma propre défense[33]. »

Plutôt lapidaire ! Girod nous révèle un trait de son caractère qui le desservira souvent. Son assurance, parfois hautaine et méprisante, provoque chez lui des maladresses qui peuvent le mener à poser des gestes discourtois, déplacés et même violents, comme nous le verrons. Blanchet, pour sa part, saisit le message : il ou elle ne publie pas le troisième article annoncé.

Ce troisième article devait porter sur la place de la religion dans l'enseignement. Girod exprime son point de vue à ce sujet : il revient entièrement au clergé d'assurer l'instruction religieuse des élèves, pour deux raisons. D'une part, parce que son école recevra des enfants de diverses confessions et « qu'il serait une criante injustice de ne pas en soustraire l'instruction de toute influence d'un maître quelconque de l'établissement ». D'autre part, « parce que les autres devoirs de l'instituteur pourraient l'empêcher d'y attacher toute l'importance qu'elle a et qu'elle doit avoir ». Vieux débat, toujours d'actualité au Québec, plus de cent cinquante ans plus tard.

Dans ses remarques à Blanchet, Girod lui reproche aussi d'avoir confondu « la Méthode d'instruction du vénérable Pestalozzi avec le Système d'éducation de Mr. Fellenberg ». Qu'à cela ne tienne ! Il envoie au *Canadien* le texte d'une étude comparée sur la pensée des deux réputés pédagogues[34]. Selon lui, Johann Heinrich Pestalozzi, un pédagogue suisse influencé par Jean-Jacques Rousseau, retient une approche universelle qui s'adresse à tous les enfants, indistinctement de leur âge et de leur maturité, qui fait appel à leur seule intelligence ; l'instituteur n'est qu'un guide qui ne doit pas influencer les élèves dans leur recherche de la connaissance. En revanche, Fellenberg estime que l'éducation ne peut négliger les antécédents familiaux de l'enfant, ni son destin probable dans la société. L'instituteur doit adapter son enseignement aux capacités des écoliers en fonction de leur âge, de leur potentiel et de leur orientation ; il doit lui-même choisir les connaissances utiles à leur formation et écarter celles qui lui apparaissent nuisibles.

Autre débat toujours d'actualité. Girod préconise, il va sans dire, l'approche de Fellenberg qui est « dans l'intérêt de l'avenir du très grand nombre [d'enfants] et dans l'intérêt général de la société ».

* * *

L'école d'agriculture ouvre ses portes le 1er mai 1832, tel que prévu. Aux coûts de location de la terre et des salaires du personnel se sont ajoutés ceux de la mise en état des bâtiments, dont une petite maison pour le directeur, ceux de l'achat des animaux, des instruments aratoires et des grains pour les cultures, enfin ceux du mobilier et du matériel scolaire. L'entreprise s'avère vite déficitaire et, au cours des premiers six mois d'activité, Perrault versera 700 livres de ses propres deniers pour couvrir les dépenses.

Les revenus insuffisants s'expliquent par le faible nombre des inscriptions qui ne dépassent pas dix au total, avec un sommet de huit durant l'été ; en novembre, il ne reste que cinq élèves. Quant à l'école normale, elle ne verra jamais le jour.

Plusieurs facteurs expliquent cet échec flagrant. La charge de travail exigée des écoliers et un régime d'encadrement rigoureux, quasi militaire, sans égal ailleurs au Bas-Canada, ne peuvent que rebuter des enfants guère habitués à de telles exigences. Le niveau élevé des droits d'inscription décourage sûrement les cultivateurs peu enclins à croire que le métier qu'ils ont eux-mêmes appris sur la terre paternelle puisse s'enseigner dans une école. Les curés n'incitent certainement pas leurs ouailles à envoyer leurs enfants dans un établissement sur lequel l'Église n'a aucune autorité, qui offre un enseignement libéral, où se côtoient catholiques et protestants.

L'arrivée du choléra ne facilite pas les choses. Au plus fort de l'épidémie, le séminaire de Québec ferme ses portes et renvoie les élèves dans leurs familles. Girod maintient son école ouverte, en interdisant à ses pensionnaires d'en sortir[35] ; sage décision, sans doute, mais guère propice au recrutement. Le député Hector-Simon Huot le signalera à la Chambre d'assemblée : « La maladie qui a régné cette année a été cause qu'il n'en est venu qu'un très petit nombre [d'écoliers][36]. »

Le rêve de Perrault et Girod n'a pas d'avenir, mais les promoteurs n'abandonnent pas, malgré une situation financière désastreuse. Le second renonce au salaire que devait lui verser le premier et vit des droits de scolarité des rares élèves et de la vente des produits de la ferme ; il réussit même à réinvestir une partie des revenus : il achète sept vaches avec les profits de la laiterie.

À l'automne, Perrault déclare forfait. Il profite de l'ouverture de la troisième session du 14ᵉ Parlement, le 15 novembre 1832, pour présenter une requête à la Chambre d'assemblée, par l'intermédiaire du député Andrew Stuart. Son mémoire explique « que depuis 1821, le Pétitionnaire a été constamment occupé du moyen de promouvoir l'instruction publique dans la Province ; qu'il n'a épargné ni son tems, ni ses talens, ni son argent[37] ». Il a dû débourser de ses propres deniers 1259 livres pour pallier l'insuffisance des revenus des trois établissements dont il est responsable : les deux écoles primaires de garçons et de filles et l'école d'agriculture. Il est disposé à céder à l'État les trois écoles, sous réserve qu'on lui rembourse sa mise de fonds. Au cas contraire, il demande que l'État lui verse une aide annuelle pour couvrir les dépenses des deux écoles primaires et lui rembourser les 475 livres qu'il a investies dans l'école d'agriculture ; il demande en plus une subvention pour assurer le loyer annuel de 150 livres de la ferme-modèle et une somme supplémentaire de deux ou trois cents livres pour accueillir gratuitement les élèves dont les parents ne peuvent payer les droits d'inscription et de pension.

Il conclut : « Le Pétitionnaire ne fait aucun doute que ces avantages, joints aux revenus de la Ferme, ne soient un moyen pour encourager l'habile professeur qu'il a mis à la tête de cet établissement (M. *Amury Girod*) et le maintenir sur un pied respectable ».

Le dossier suit le cours habituel : il est envoyé à un comité spécial de cinq députés qui présente son rapport un mois plus tard, rapport référé au Comité permanent pour l'éducation et les écoles. Le Comité convoque Perrault, Girod et Juchereau-Duchesnay à sa séance du 31 janvier 1833[38].

Premier interrogé, Michel Louis Juchereau-Duchesnay reconnaît avoir reçu le versement du loyer pour les six premiers mois et que des travaux de rénovation ont été exécutés sur les bâtiments et la terre, payés en partie par Perrault, en partie par lui-même. Il n'est pas disposé à résilier le bail et reprendre la ferme, sans une indemnité qu'il se dit incapable de chiffrer.

Le Comité reçoit ensuite Girod pour entendre son témoignage. Celui-ci s'est bien préparé et fournit des réponses précises aux questions que les députés lui posent sur les inscriptions des élèves, les difficultés éprouvées, les travaux effectués sur les bâtiments et les terres ; il s'engage à déposer un bilan financier des dépenses de fonctionnement et des revenus de la vente des produits de la ferme. Il affirme que, pour rendre l'établissement rentable, il faudrait prolonger la durée du bail et injecter de nouvelles sommes pour des travaux d'investissement. Dans les conditions actuelles, il déclare qu'il ne peut continuer à diriger l'école et l'exploitation de la ferme, et qu'il l'a signifié à Perrault. Girod serait toutefois disposé à diriger l'école d'agriculture si elle était transférée dans une autre localité, sur une meilleure terre, et si de nouvelles conditions étaient fixées, dont une aide de l'État pour aménager une ferme-modèle. En ce qui concerne le déficit, il précise : «Je ne me regarde pas comme précisément responsable d'après les contrats, mais je crois en équité être responsable de certaines dettes du moins.»

Interrogé à son tour le 1er février, Perrault se déclare prêt à assumer les dettes de l'établissement et l'indemnité due à Juchereau-Duchesnay pour une partie du bail à courir, ainsi qu'à libérer Girod de son engagement dans la mesure où l'État le dédommagerait des dépenses qu'il a faites : « Je ne demande rien de plus qu'un juste remboursement de mes avances ; [...] je n'ai jamais eu intention de faire un profit pour moi-même ». Bon prince, il termine son témoignage par l'éloge des mérites de Girod : « Il s'est donné tous les soins possibles, et je n'ai qu'à me louer de lui, tant pour la régie générale de l'établissement que pour sa conduite envers les élèves ».

Le Comité permanent recommande dans son rapport que la Chambre d'assemblée vote une subvention de 150 livres à Joseph-François Perrault pour l'indemniser de ses dépenses faites à la ferme-modèle. Lors du débat sur cette proposition, le 25 février, le député de Bonaventure, John Robinson Hamilton, manifeste son opposition. Il est persuadé « d'après son examen sur les lieux que Mr Perrault n'avait pas déboursé £ 25 en expérience sur la ferme » ; il lui reproche d'avoir mis « un étranger à la tête de cet établissement qui ne connaissait rien de l'agriculture de ce pays[39] ».

Les députés de Québec, John Neilson, de Montréal, Louis-Joseph Papineau, et de Portneuf, Hector-Simon Huot interviennent pour défendre les réputations de Perrault et de Girod et appuyer la recommandation du Comité permanent ; finalement, la Chambre décide l'octroi de la subvention de 150 livres, avec une faible majorité de 30 voix en faveur et 18 contre. Prudent, Perrault attend le vote favorable du Conseil législatif et la sanction royale avant de résilier le contrat de Girod le 19 avril 1833 ; celui-ci se reconnaît redevable envers Perrault d'une somme de 45 livres, 5 chelins, ou 1080 livres ancien cours, payable au 1er mai 1834, avec intérêt. Ce n'est qu'en décembre 1835 que le bail avec Juchereau-Duchesnay sera annulé et le matériel agricole de l'établissement vendu pour une somme dérisoire[40].

La Chambre a aussi voté à Perrault un autre montant de 150 livres comme contribution au financement de ses écoles primaires qu'il continue à diriger à quatre-vingts ans; il s'efforce «de modifier le programme de l'école de garçons afin d'offrir une instruction élémentaire et une formation professionnelle inspirée des méthodes apportées par Girod», rapporte son biographe[41].

De son côté, lorsqu'il a pris connaissance des déclarations du député Hamilton, Girod a répliqué par une lettre ouverte que reproduisent les journaux de la capitale[42]. Sur un ton caustique, il l'invite à exiger des comptes aux journalistes qui ont rapporté les débats de la Chambre: «Ne devez-vous pas demander la punition d'un homme qui vous fait dire des mensonges et des choses qui vous rendent ridicule?» Les paroles qu'on prête au député ne peuvent être celles qu'il a prononcées. Ainsi, «qui sait mieux que vous et moi que pendant les derniers 12 mois vous n'avez *jamais* mis le pied sur la ferme». Quant à ses propos où il le traite d'étranger: «Vous ne pouvez pas avoir dit pareille chose». Girod le presse d'intervenir pour «qu'ils [les journalistes] ne rapportent que les véritables discours des législateurs».

Lettre sans conséquence, pour s'amuser. Libéré de la direction de son école, dans quelle direction dirige-t-il ses pas? Avant de l'accompagner, un retour en arrière s'impose.

* * *

L'été précédent, alors que le choléra lui interdit de quitter Petite-Rivière, il occupe son temps libre à écrire une série de lettres à l'éditeur du *Canadien*[43]. Il les signe «Jean Paul, laboureur», pseudonyme qu'il utilisera souvent à l'avenir.

Il débute par un préambule qui n'a rien à voir avec la suite.

> Comme je dois vous parler de choses qui sans doute déplairont à des gens qui, comme ceux de Montréal, se sentent autorisés à faire maltraiter les Canadiens, j'ai bien considéré avant de prendre la plume si, à Québec ou dans

les environs il y a des gens qui voudraient nous faire
assassiner par le militaire et si le militaire s'y prêterait. [...]
J'ai conclu que je puis parler franchement ici sans craindre
les balles des McIntosh et Temple.

Macintosh et Temple sont les officiers qui commandaient
une compagnie d'infanterie chargée de maintenir l'ordre
pendant le scrutin tenu en mai 1832, à l'occasion d'une élection complémentaire dans Montréal-Ouest pour remplacer le
député démissionnaire. Entre Daniel Tracey, candidat des
Réformistes, et Stanley Bagg, candidat des Bureaucrates, la
lutte est serrée ; les partisans s'échauffent et s'affrontent
devant le bureau de scrutin. Le 21 mai, la troupe tire sur la
foule : trois morts, douze blessés, tous des partisans réformistes.

Le lendemain, Tracey est déclaré élu avec une majorité de
4 voix. Quant aux deux officiers, le coroner chargé de
l'enquête ordonne leur arrestation pour les traduire en jugement. À leur procès, fin août, un grand jury de Montréal,
composé de quatorze anglophones, conclura à un non-lieu,
mais cela, Girod ne peut le prévoir.

Pourquoi en parler ? Girod aime bien introduire une
pointe d'ironie dans ses textes, surtout s'ils sont sérieux. En
fait, il traite un tout autre sujet, le droit civil. Le droit civil en
vigueur au Bas-Canada repose, pour l'essentiel, sur la
Coutume de Paris ; des lois, au fil des années, ont modifié des
règles désuètes, ajouté des dispositions nouvelles, si bien que
plus personne ne s'y retrouve, sauf quelques procureurs et
avocats qui en profitent financièrement, au détriment des
parties lésées. Girod propose qu'à l'instar de la France, avec le
code Napoléon, le Bas-Canada se dote d'un code civil similaire où les articles seront regroupés dans un ordre cohérent
et rédigés dans une langue intelligible à tous. Il faudra
attendre trente-trois ans pour que sa suggestion voie le jour,
avec l'entrée en vigueur du « Code civil du Bas-Canada ».

Les autres lettres portent sur le système juridique du Bas-Canada : les contraintes qui limitent la liberté de presse, les restrictions que connaît le droit de réunion, le fouillis législatif où des nouvelles lois contredisent d'anciennes qui n'ont pas été abrogées, le jargon procédurier incompréhensible au commun des mortels, le mode de nomination des juges, etc. L'analyse de Girod manque de clarté, le tout est passablement emberlificoté. Il en est conscient et s'est excusé au départ :

> Si vous vous attendez à quelque chose de régulier, de systématique dans ces lettres sur l'administration de la question anglaise, vous vous trompez. Car quand je serais ce je ne suis pas, un légiste dans toutes les formes, je ne serais pas capable de présenter dans une forme systématique des lois qui ont été données sans aucun système[44].

Girod cherche à démontrer que la justice anglaise va à l'encontre d'une règle fondamentale en droit, l'équité envers tous les justiciables. Selon lui, seuls les pays, dont la France, qui ont adopté un code juridique inspiré du droit romain, peuvent pratiquer une justice équitable.

L'activité journalistique de Girod ne passe pas inaperçue. À Montréal, le chef de police, Pierre-Édouard Leclère, se cherche un directeur pour le journal qu'il prévoit fonder afin de promouvoir et défendre les politiques des autorités coloniales ; les messieurs de Saint-Sulpice assureront discrètement le financement du futur *Ami du Peuple, de l'Ordre et des Lois*. Leclère offre le poste de directeur à Girod qui décline.

Dans une lettre datée du 20 juillet 1832 et adressée à Ludger Duvernay, un certain Pierre Winter, étudiant en droit, propose une double explication au refus de Girod.

> Je ne crois pas que Girod laisse sa ferme modèle pour l'ami du Peuple écossais — d'abord parce qu'il est bien établi et ensuite parce que ses opinions sont libérales et qu'il haït de bon cœur et en bon Français tout ce qui est écossais[45].

L'offre de Leclère nous apprend plusieurs choses. Que les qualités intellectuelles de Girod et ses talents d'écrivain ont retenu l'attention des milieux instruits de Montréal. Que les Bureaucrates et leurs alliés estiment utile de retenir ses compétences pour éviter qu'il les mette au service des Réformistes. Que Duvernay, directeur de *La Minerve* et fidèle partisan des Réformistes, s'en est inquiété et a voulu en savoir davantage.

Devant le refus de Girod, Leclère confie la direction du journal à Michel Bibaud, journaliste d'expérience qui a déjà dirigé plusieurs périodiques. Les premiers numéros de *L'Ami du Peuple* paraissent en juillet et soulèvent l'ire d'Étienne Parent qui se commet d'une charge à fond contre l'orientation qui se dégage du nouveau journal, pour montrer «au public à quel sorte d'ami il va avoir affaire[46]».

* * *

Revenons en avril 1833 où Girod, libéré de son contrat avec Perrault, reprend la plume ; il délaisse l'éducation, l'agriculture et le droit et s'engage sur le terrain politique. Le 20 avril, il écrit deux lettres, rédigées en anglais, qu'il adresse à « The Editor of the Albion, London » et signe «Lemanus», allusion à peine voilée au canton de son enfance.

Lors d'une conférence intitulée «Amury Girod» et prononcée en 1879 devant les membres de la Numismatic and Antiquarian Society of Montreal, William McLennan, directeur de la bibliothèque de l'Université McGill, s'attarde à ces deux lettres[47]. Selon lui, Girod manifeste une clairvoyance et une impartialité remarquables de la part d'un étranger, à une époque où peu d'hommes parlaient, et moins encore pensaient ; il juge que son analyse se compare avantageusement au futur rapport de lord Durham sur la situation canadienne.

Dans ces textes, Girod attaque avec vigueur le fonctionnement du Conseil exécutif, du Conseil législatif et du système judiciaire. Il dénonce le pouvoir du «family party» qui dirige le pays. Il décrit la situation risible de l'éducation et l'état lamentable des infrastructures publiques, notamment des routes.

Girod n'est pas tendre non plus à l'endroit de la Chambre d'assemblée, composée en majorité d'hommes «d'une fortune très limitée et de connaissances encore plus limitées»; quelques-uns «ne peuvent ni lire ni écrire». Beaucoup passent leur temps «dans la bibliothèque ou dans la chambre de l'orateur, non pour étudier mais pour fumer leur pipe».

L'Orateur, ou Speaker, soit le président de la Chambre d'assemblée, c'est Louis-Joseph Papineau, le chef du Parti patriote, sur qui il porte un jugement sévère.

> Doué de beaucoup plus d'énergie que ses compatriotes n'en possèdent généralement, et ayant acquis plus de connaissances que les Canadiens ne sont généralement alloués de posséder, il fut un homme plus respectable et plus inappréciable, lorsque le comte Dalhousie commença à fouler aux pieds les droits des sujets britanniques de cette colonie; mais il ne faut pas oublier, qu'il n'avait à combattre dans la Chambre d'assemblée que quelques hommes médiocres, que les plus capables représentans, MM. Neilson et Cuvillier, étaient ses partisans, et que les sept huitièmes de l'assemblée, étaient des hommes sans aucune connaissance, préjugés, sans réputation. Depuis que cet homme a perdu son énergique opposant dans le comte Dalhousie, son turbulent esprit manquant d'occupation, son ambition passant les limites loyales, l'un s'est délecté en agitant le peuple dans toutes les directions, l'autre a choisi une autre marotte que celle d'être le gardien de la liberté constitutionnelle[48].

Que faut-il entendre? Que, dans les années vingt, Papineau a combattu avec succès les mesures autoritaires et réactionnaires du gouverneur Dalhousie; qu'il a su mobiliser la classe politique et la population en général, avec l'aide des députés John Neilson et Augustin Cuvillier; qu'en particulier, il est parvenu à empêcher la réalisation du projet concocté par les marchands britanniques de Montréal et défendu à Londres pour unir le Bas-Canada et le Haut-Canada en une seule colonie, avec en corollaire la proclamation de l'anglais comme seule langue autorisée dans les textes législatifs et les débats parlementaires.

Depuis le rappel du gouverneur Dalhousie, Papineau manquerait de vision et de perspective en multiplant à droite et à gauche ses attaques, sans retenir de priorités. Quant à son autre marotte, Girod fait peut-être allusion aux tentatives de Papineau pour retirer à l'Église son autorité sur la gestion des biens des paroisses et des écoles ; en réaction, Neilson, Cuvillier et d'autres députés prennent leurs distances.

Selon Girod, Papineau, « homme de talent en vérité, a rendu, pendant un certain temps, de grands services à la province », mais il « est devenu un homme très dangereux et [...] un méchant homme pour cette colonie, et spécialement pour la vraie liberté et la prospérité des Français-Canadiens ». Mais attention, précise-t-il, si le gouvernement lui en fournit l'occasion, « cet homme se lèvera encore » et retrouvera son influence et l'appui du peuple.

L'intention de Girod en écrivant ces deux lettres destinées au public londonien sous le titre *Addresses to the British Nation* ne saute pas aux yeux. Cherche-t-il sincèrement à alerter les autorités anglaises d'une situation qui évolue vers l'irrémédiable ? Ses critiques tous azimuts le laissent croire. Elles indiquent aussi qu'il n'a pas encore pris parti.

* * *

C'est vraisemblablement à cette époque que son épouse, que nous avons convenu d'appeler Maria, décide de le laisser. Deux mois après son départ, le *Vindicator* annonce que, le 19 juin 1833, était décédée à New York, à la suite d'une courte maladie, « Madam Girod, lady of Amury Girod, esq[49]. » La nouvelle s'avère fausse, comme le révèle la lettre suivante[50].

New-York, 21 sept. 1840

Révérend Monsieur,

Je comprends que vous êtres apparenté au Dr O'Callaghan, autrefois éditeur du Vindicator. Si tel est le cas, pouvez-vous me dire où l'atteindre par lettre ? Peut-être même êtes-vous suffisamment au courant, vous-même, des malheureux événements de Saint-Eustache pour m'en fournir le détail ou du moins ce qui concerne mon défunt mari, Mr Amury Girod, commandant des Patriotes. Depuis que je l'ai quitté, en 1833, je n'ai jamais reçu de lettre de lui, ni même de ses nouvelles, et ce n'est que par accident que j'ai appris, d'abord l'offre d'une récompense pour son arrestation, puis sa mort. Je suis anxieuse de savoir ce qu'il est advenu de sa propriété, et particulièrement des terrains qui lui avaient été concédés pour ses services dans la guerre sud-américaine, sous Bolivar.

Le temps ne me permet pas d'exposer les circonstances qui m'ont forcée à quitter mon mari dans un temps critique, alors que ma présence seule tenait une conspiration en échec. M'étant liée par serment à ne jamais divulguer un secret que j'avais innocemment découvert, j'ai préféré quitter le Canada dans la crainte de ruiner à quelque moment par inadvertance la carrière d'un homme que j'idôlatrais presque. Je lui ai écrit deux fois à Montréal, mais n'en ayant pas reçu de réponse, j'ai conclu que mon pauvre mari avait laissé le Canada pour le Mexique où il m'avait dit qu'il devait aller pour affaires politiques.

J'ai vu le Dr O'Callaghan, il y a deux ans, et il avait été surpris de me voir, disant que ma mort avait été rapportée à Montréal, d'après un journal de New-York. Ce fait n'indique-t-il pas, monsieur, que mes cruels ennemis ont réussi à tromper mon mari qui n'aurait pas aussi chaudement embrassé leur cause s'il m'avait su vivante. Que Dieu leur pardonne. Je leur pardonne sincèrement quant à moi, quoique leurs machinations m'aient privée d'un époux affectueux en même temps qu'elles privaient mon fils du plus tendre des pères.

Excusez-moi de vous ennuyer avec mes chagrins mais je n'ai personne à qui les communiquer. Je voudrais particulièrement savoir de vous si je dois me considérer encore liée par mon serment, ou si je suis maintenant libre de parler ou d'écrire. Soyez assuré cependant que rien ne peut m'induire à impliquer qui que ce soit dans les actes de la rébellion en Canada.

En prenant respectueusement congé de vous, Monsieur, j'espère la faveur d'une réponse le plus tôt possible, attendu que je pars pour Charleston, S.C., le 13 du mois prochain.

M. Girod

a/s Miss Peters
114 Prince Street
West of Broadway, N.Y.

Quel crédit pouvons-nous apporter à cette lettre? Sa rencontre avec le docteur O'Callaghan paraît plausible.

Edmund Bailey O'Callaghan, né en Irlande en 1797, a étudié la médecine à Dublin, Paris et Québec où il reçut son titre de docteur en 1827. En 1830, il participe à la fondation du Quebec Mechanic's Institute où Girod a donné des cours, à la fin de 1831 et au début de 1832; c'est sûrement à cette époque qu'il a fait la connaissance de Maria. En mai 1833, il quitte Québec pour Montréal et prend la direction du *Vindicator* à la suite du décès de Daniel Tracey, victime du choléra. Proche de Papineau, il quitte le Bas-Canada avec lui, après la défaite de Saint-Charles, en novembre 1837, et séjourne à New York en 1838, dans une pension située Nassan Street[51]. Maria a vraiment pu croiser son chemin durant ce séjour.

Par contre, des quatre quotidiens publiés dans la métropole américaine en 1833[52], aucun ne mentionne son décès. De qui le *Vindicator* tenait-il son information? Et quel était l'intérêt de son auteur à la diffuser ? Sur la conspiration, le mystère plane également. Risquons un scénario, très hypothétique.

Dans une chronique publiée en 1837, le directeur du *Montreal Herald*, Adam Thom, affirme que Girod, quatre ans auparavant, s'est présenté à ses bureaux pour offrir d'écrire une série d'articles contre Papineau et son parti[53]. Mis au courant, les directeurs des journaux réformistes, Étienne Parent, Edmund Bailey O'Callaghan et Ludger Duvernay, se seraient rendus chez Girod pour le convaincre de mettre plutôt ses talents au service de la cause patriote. Maria aurait innocemment découvert ce secret et préféré quitter le Canada pour ne pas nuire à la carrière de son mari.

Mais en quoi la seule présence de Maria tenait-elle en échec ces machinations ? Et en quoi la fausse nouvelle de sa mort rapportée par ses « cruels ennemis » pouvait-elle forcer la main de Girod ?

Nous avons renoncé à lever le voile sur cette affaire confuse et embrouillée. Une chose demeure certaine : le printemps 1833 représente un point tournant dans la vie de Girod.

Après le départ de Maria, ne voulant pas élever seul un garçon de douze ans, il envoie son fils en Suisse pour le confier à un proche parent. Un acte notarié nous apprend, en 1838, que Juan Girod était « parti depuis plusieurs années pour rejoindre la famille de son père résidant en pays étranger[54] ».

Puis, il quitte Québec et transporte ses pénates à Montréal.

CHAPITRE TROISIÈME

La société de Varennes

AMURY GIROD arrive à Montréal en mai 1833, mais avant septembre nous n'avons trouvé nulle trace formelle de ses activités. Nous sommes contraint de nous rabattre sur des suppositions, vraisemblables bien qu'incertaines.

Fort probablement, il se rend aux bureaux de *La Minerve*, rue Saint-Jean-Baptiste, saluer Ludger Duvernay et à ceux du *Vindicator*, rue Saint-Vincent, revoir Edmund Baily O'Callaghan. Il hante sûrement la librairie d'Édouard-Raymond Fabre, aussi rue Saint-Vincent, où il peut prendre connaissance des nouveaux arrivages de France et surtout fréquenter les personnalités réformistes de la ville qui sy retrouvent régulièrement pour discuter politique dans l'arrière-boutique : les avocats Côme-Séraphin Cherrier, Édouard-Étienne Rodier et son jeune clerc, George-Étienne Cartier, Louis-Hippolyte La Fontaine, Charles-Ovide Perrault, sans oublier le médecin Robert Nelson et le tribun Louis-Joseph Papineau. Girod se liera d'amitiés avec plusieurs d'entre eux, notamment Rodier.

Nous serions tenté d'imaginer une rencontre avec Joseph Lancaster. Après son départ du Venezuela et un court séjour à New York, il a gagné Montréal et ouvert une école mutuelle en septembre 1829, rue Saint-Jacques, école qui lui vaudra les louanges des inspecteurs Jacob De Witt et Louis-Michel Viger

en 1832. Malheureusement, la Chambre d'assemblée met fin
à son aide financière en 1833 et Lancaster, désabusé, retourne
à New York où il mourra en 1838, piétiné par un cheval
emballé[1]. Combien intéressant il serait de rapporter une discussion entre les deux hommes, la confrontation de leurs
points de vue, le bilan de leurs expériences sous Bolivar ! Rien
n'autorise une telle affabulation.

Une incertitude demeure, celle du séjour de Girod à
Saint-Charles-sur-Richelieu. L'unique source à l'appui appa-
raît dans le *Journal historique des événements arrivés à Saint-
Eustache* où l'auteur écrit : « En sortant de Québec, il [Girod]
chercha à s'établir sur les propriétés de M. Debartzch, à
St-Charles ; mais celui-ci ne se soucia pas d'un pareil hôte[2]. »
Pierre-Dominique Debartzch, titulaire du fief Debartzch de la
seigneurie de Saint-Hyacinthe, membre du Conseil législatif
depuis 1814 et encore proche des Réformistes, a fondé en
1833 *L'Écho du pays* dont le premier numéro est sorti le
28 février. Il en a confié la direction à Alfred-Xavier Rambau
qui devait passer peu après à *L'Ami du Peuple* que dirige
Michel Bibaud[3]. Girod aurait-il offert ses services à Debartzch
pour prendre la relève ? Rien ne permet de l'affirmer.

Il est certain cependant que Girod ne s'attarde pas à
Montréal. Au début de l'été, à l'embarcadère du Pied-du-
Courant, il monte à bord du vapeur qui dessert les villages de
la rive droite du Saint-Laurent de Longueuil à Sorel, avec des
escales à Boucherville, Varennes, Verchères et Contrecœur. Il
débarque au quai de Varennes et trouve à se loger.

Pourquoi Varennes ? Le protonotaire Joseph-François
Perrault lui a sans doute décrit les charmes de cette localité
où son fils François-Xavier a pris épouse et sa fille Éléonore,
mari et pays. Il est possible, de plus, que le docteur Robert
Nelson lui ait présenté l'un de ses anciens étudiants, Eugène-
Napoléon Duchesnois, qui l'a invité à venir s'établir dans son
village natal, où lui-même pratique la médecine.

Eugène-Napoléon Duchesnois a épousé, le 27 août 1827, Françoise Ainsse, puînée du seigneur de l'île Sainte-Thérèse. Né à Varennes, le 16 janvier 1808, fils d'Étienne Duchesnois et Josephe Massue, il fut baptisé le même jour en présence de son parrain, Jacques Le Moyne de Martigny, le fils aîné du seigneur de la Trinité et de Saint-Michel, et de sa marraine, Apolline Huet, épouse de Paul Lussier, seigneur de Varennes.

Ces cinq familles, Lussier, Le Moyne de Martigny, Ainsse, Massue et Duchesnois, occupent le sommet de la pyramide sociale de Varennes. Brosser le portrait de chacune d'elles permettra de saisir le milieu où Girod s'intégrera.

* * *

Le grand-père du médecin, Étienne Duchesnois, avait quitté Toulouse pour venir s'établir au Canada comme marchand, dans les dernières années du régime français; le 14 mai 1765, il a épousé, à Sorel, Françoise Leroux, fille d'un négociant. Installé à Berthier, le couple a eu sept enfants, tous des garçons, dont l'aîné, prénommé aussi Étienne, le 9 juillet 1765, moins de deux mois après le mariage. Vers 1780, la famille Duchesnois a émigré à Montréal où s'éteindra Françoise Leroux en 1782; quelques mois plus tard, les deux Étienne, père et fils, ont quitté la ville pour venir vivre à Varennes et tenir un commerce de marchandises variées: vêtements, souliers et chapeaux; ustensiles de cuisine; outils de menuiserie et de jardinage.

Étienne Duchesnois, second du nom, a pris en main le commerce hérité de son père décédé en 1795 et, sous sa direction, les affaires prendront leur essor. Il a épousé à Varennes, le 28 août 1797, Josephe Massue, âgée de vingt-quatre ans; le nouveau marié en a trente-deux. Nous retrouvons sur l'acte de mariage les signatures des seigneurs Paul Lussier et Amable Le Moyne de Martigny et celle de Joseph Papineau, notaire et député de Montréal à la Chambre d'assemblée.

Négociant prospère, Étienne Duchesnois a brigué, en 1814, les suffrages du comté de Surrey, avec Pierre Amiot, un cultivateur de Verchères, la paroisse voisine. Rappelons que chaque circonscription était représentée par deux députés. Élus sans difficulté, les deux hommes conserveront la confiance de la majorité des électeurs lors des scrutins ultérieurs ; ils siègent à la Chambre d'assemblée parmi les députés du Parti réformiste. Duchesnois a peu participé aux débats et n'a joué qu'un rôle effacé, étant plus souvent présent à Varennes qu'à Québec.

Josephe Massue a donné naissance à six enfants Duchesnois : Émilie en 1797, Étienne en 1799, Lucie en 1801, Julie en 1805, Eugène-Napoléon en 1808 et un bébé anonyme décédé à sa naissance en 1810. Seuls Étienne et Eugène-Napoléon ont atteint l'âge adulte.

Cette famille Massue occupe une place respectable à Varennes. Le père, Gaspard, époux de Marie-Josephe Huet-Dulude, avait repris le commerce de grains de son père Nicolas auquel il a donné une expansion considérable ; ses revenus lui ont permis d'acquérir le tiers de la seigneurie de Varennes, les deux autres tiers relevant de Christophe Sanguinet. À sa mort en 1792, sa veuve a vendu à Paul Lussier le domaine seigneurial, mais conservé le commerce et la maison familiale, un imposant manoir en pierre de taille. Elle y a élevé ses enfants mineurs : Josephe, future dame Duchesnois, née en 1773, Gaspard, en 1776, Nicolas, en 1779, Aimé, en 1781 et Louis-Joseph, en 1786.

C'est Aimé qui a pris en charge les entrepôts paternels et s'est associé un temps avec son beau-frère Étienne Duchesnois, son aîné de seize ans. Le 28 novembre 1811, il s'est uni à Céleste Richard, veuve de François Campeau ; en 1817, il a acheté de sa sœur et de ses frères leurs parts du manoir familial qu'il habite toujours en 1833.

Le 1er avril 1824 mourait Josephe Massue ; son mari, Étienne Duchesnois, renonça à se représenter aux élections générales dont la campagne battait son plein et céda la place à son beau-frère, Aimé Massue. Celui-ci n'a été député de Surrey que de 1824 à 1827 ; à la dissolution de la Chambre d'assemblée, il s'est effacé devant Louis-Joseph Papineau aussi candidat dans la circonscription de Montréal-Ouest. Papineau choisit de représenter Montréal-Ouest ; François-Xavier Malhiot, seigneur de Contrecœur et négociant à Verchères, sera élu député du Surrey en 1828, à l'occasion d'une élection complémentaire.

Voilà pour les familles Duchesnois et Massue. Passons aux trois familles seigneuriales.

Paul Lussier, déjà titulaire du fief Belœil dans la baronnie de Longueuil, s'était porté acquéreur d'un tiers de la seigneurie de Varennes en 1796, lors du règlement de la succession de Gaspard Massue ; en 1803, il a acheté les deux autres tiers à Christophe Sanguinet et son fils Ambroise. Le fils unique de Paul Lussier, aussi prénommé Paul, habite avec son épouse Apolline Huet le manoir de pierre de la rue Sainte-Anne dont la construction remonte à 1768. Parmi leurs enfants, signalons Félix, qui s'est marié en 1824 avec Angélique Deschamps-Hainaud et dont la maison s'élève en face du manoir paternel ; Esther, qui a épousé en 1828 François-Xavier Perrault, fils du protonotaire de Québec.

À la sortie du village, vers l'aval, à partir du pont qui franchit la rivière Notre-Dame, s'étend la seigneurie des Le Moyne de Martigny. Vieille et noble famille, que ces Le Moyne qui ont contribué à créer et développer la Nouvelle-France et fourni moult soldats pour sa défense. L'ancêtre, Jacques Le Moyne de Sainte-Marie, a reçu en 1668, par le bon vouloir de Louis XIV, la seigneurie de la Trinité et de Saint-Michel, conjointement avec son beau-frère Michel Messier ; le frère de Jacques, Charles, s'était vu concéder celle de Longueuil érigée en baronnie en 1711 et où grandirent ses fils, Jacques Le Moyne de Sainte-Hélène, Pierre Le Moyne d'Iberville et Paul Le Moyne de Maricourt, entre autres.

Au fil des années et des générations, les descendants de Jacques Le Moyne ajouteront à leur fief de la Trinité celui de Saint-Michel et la seigneurie voisine de la Guillaudière. À l'arrivée de Girod à Varennes, le cinquième seigneur, Jacques Le Moyne de Martigny, habite le manoir seigneurial construit sur le chemin de la Grande-Côte. Son fils Jacques a épousé, à Québec en 1819, Éléonore Perrault, fille de notre proto-notaire. Pour la petite histoire, ajoutons que s'uniront aux de Martigny deux petites-filles de Joseph-François Perrault, les enfants de Charles-Norbert : Charlotte épousera en 1837 Prime, frère de Jacques le second, et Louise convolera en 1849 avec Adélard-Vital, fils du même Jacques ; ou, dit autre-ment, la première épousera le beau-frère de sa tante, la seconde son cousin germain. Tricoté serré, le Québec !

Troisième famille seigneuriale, celle des Ainsse. Seul héritier de ses parents, Joseph Ainsse a reçu le domaine de l'île Sainte-Thérèse qui s'étend dans le fleuve Saint-Laurent, en face du village de Varennes. Joseph Ainsse et Thérèse Germier-Laviolette s'étaient mariés à Boucherville, le 10 février 1806.

Tous les enfants Ainsse voient le jour dans le manoir construit à côté de l'église du village, sur un vaste terrain qui s'étend de la rue Saint-Louis jusqu'à la rive du fleuve et que traverse le chemin public. Après Zoé, en 1807, et Françoise, en 1808, naissent trois enfants qui ne vivront que quelques jours. Puis, se présente Joseph, en 1814 ; sa mère meurt deux semaines après. Cinq ans plus tard, le veuf épouse Charlotte Vigneau, le 3 novembre 1819, de nouveau à Boucherville. De leurs six enfants, seules Henriette-Charlotte, née en 1821, et Zaïre, en 1827, atteignent l'âge adulte.

Les seigneurs Lussier, Le Moyne de Martigny et Ainsse appartiennent à la classe des gentilshommes terriens qui tirent une partie de leurs revenus des cens et rentes des culti-vateurs qui occupent les lots concédés. Si les cens ne représentent qu'une modeste somme, symbole du lien de dépendance du censitaire envers le seigneur, il en va autrement pour les rentes : elles oscillent entre 10 % et 12 % de la valeur des biens produits et sont versées en espèce et en nature. À ces apports, chacun ajoute la moitié des revenus du moulin banal dont il a confié la gestion à un meunier ; les censitaires sont tenus d'y porter leurs récoltes pour les faire moudre, en vertu des lois qui régissent la tenure seigneuriale.

Un seigneur prospère — ils le sont tous les trois — possède en plus, sur sa propre seigneurie ou sur une autre, des terres qu'exploitent des métayers ou des fermiers qui lui versent la moitié des produits agricoles et des croîts des animaux.

Les seigneurs consacrent la majeure partie de leur temps à la gestion de leur patrimoine foncier. Leurs revenus leur permettent de maintenir un train de vie à la hauteur de leur statut social et d'offrir à leurs familles une existence confortable. Leurs activités s'effectuent en marge des transformations économiques que connaît le Bas-Canada. Peu investissent dans l'industrialisation naissante ou dans les transports fluviaux en plein développement.

Proches des gentilshommes, et parfois dans leurs chambres à coucher, les membres de la bourgeoisie contribuent, à leur façon et selon leurs intérêts, à animer la vie économique et sociale de Varennes. Moins conservateurs que les précédents, ils souhaitent apporter des changements dans un Bas-Canada dominé par le pouvoir colonial et ses sbires. Retenons les noms, nous les reverrons, des notaires Alexis Pinet et Édouard Beaudry, des médecins Perkins Nichols et Eugène-Napoléon Duchesnois, des négociants Aimé Massue et Eustache Lussier, du marchand général Alexis Corbeau, des aubergistes Jean-Baptiste Girard et François Malbeuf, de l'hôtelier Antoine Brodeur qui gère un établissement thermal au lieu-dit « La Saline », sur le chemin de la Grande-Côte.

Dans une classe plus modeste, nous retrouvons le boucher et le boulanger, ainsi que les artisans de la construction : menuisiers, maçons et peintres ; ceux des services : forgerons, cordonniers et ferblantiers ; et les autres : tanneurs, tisserands et tailleurs. Ajoutons les meuniers qui s'occupent de la dizaine de moulins à vent ou à eau disséminés dans les seigneuries. Et n'oublions pas le curé et ses vicaires, les deux instituteurs et les cinq institutrices.

Enfin, la masse de la population, les cultivateurs, les fermiers et les journaliers.

Au total, la paroisse de Varennes regroupe 3300 personnes, dont 500 habitent le village et les autres, les concessions agricoles aux noms évocateurs : Pays-Brûlé, Petit-Bois, Pérou, Butte-aux-Renards, Picardie, Pointe-aux-Pruches.

Aucune institution municipale n'administre les affaires locales ; les villages du Bas-Canada n'ont pas d'existence juridique. Les seigneuries et les paroisses constituent les seules structures légales. Les seigneurs, à qui l'exercice de la justice a été retiré par le pouvoir britannique, n'ont pas d'autorité directe dans la conduite des affaires publiques, tout en ayant une influence déterminante dans la nomination des responsables locaux de l'État.

Les curés, outre leurs obligations religieuses, assurent la gestion des registres de l'État civil, héritage de la France en vertu de l'ordonnance de François Ier signée à Villers Cotterêts en 1539. Ils manifestent guère d'intérêt à tirer profit de la Loi sur les écoles de fabrique pour mettre sur pied des établissements d'enseignement, ce qui n'est pas le cas à Varennes. Sous l'impulsion de l'abbé, Joseph-François Deguise, le village possède sa « Grande maison d'école », au coin des rues Sainte-Anne et Saint-Louis, vaste construction de pierre qui abrite les classes des garçons et des filles, le logement des instituteurs et une grande salle communautaire pour les réunions des habitants ; cinq « écoles de rang » complètent le réseau scolaire de la paroisse.

L'État exerce son autorité à l'échelon local essentielle-ment dans les domaines de l'ordre public et de la justice ; elle repose sur les capitaines de milice et les juges de paix, nom-més par le gouverneur qui peut révoquer leurs brevets à sa guise, et il ne s'en gêne pas.

Dans chaque paroisse, des capitaines de milice comman-dent des compagnies qui comprennent tous les hommes âgés de dix-huit à soixante-quatre ans. La principale activité de la milice est la revue annuelle qui se déroule à la fin du mois de juin : elle se résume à l'appel nominal des hommes rangés devant l'église. Les miliciens ne reçoivent aucun entraîne-ment et ne disposent pas d'uniforme, ni d'arme, sauf leur propre fusil de chasse. Un capitaine a le pouvoir d'arrêter quiconque trouble l'ordre public et de le mettre sous bonne garde ; il mobilise aussi ses hommes pour exécuter un mandat d'amener émis par un juge d'un tribunal urbain et transmis par un huissier.

Le gouverneur nomme aussi les lieutenants qui secondent un capitaine ; celui-ci désigne les caporaux en charge des escouades. À l'échelle d'un comté, les compagnies de milice forment un bataillon sous l'autorité d'un lieutenant-colonel, parfois le seigneur des lieux. Ainsi, François-Xavier Malhiot, seigneur de Contrecœur, assumait cette charge dans le comté de Verchères jusqu'à son élection à la Chambre d'assemblée ; lui a succédé Jacques Le Moyne de Martigny, seigneur de la Trinité et de Saint-Michel.

Commis par le gouverneur, le capitaine de milice person-nifie le pouvoir royal auprès de la population locale, avec le prestige que cela comporte. Il a son banc réservé à l'avant de l'église, à côté du banc seigneurial. Devant sa maison se dresse un mât, ou « mai », qui signale son autorité ; vestige de l'an-cienne autorité seigneuriale, le « mai », une épinette ébran-chée avec un bouquet au sommet, est dressé par les miliciens en témoignage de reconnaissance de l'investiture de leur chef.

Le juge de paix, autre représentant de l'État, assume des responsabilités qui relèvent du droit pénal. Son pouvoir l'autorise à transmettre au capitaine de milice des mandats exécutoires pour l'arrestation de suspects; à juger les délits mineurs et à imposer des amendes; à recevoir des déclarations sous serment, voire à monter un dossier destiné à servir de preuve devant un tribunal urbain; à réglementer l'octroi des permis pour la tenue des auberges et des cabarets. Il exerce ses fonctions avec une large autonomie et ne rend guère de comptes aux autorités supérieures. Marchands, médecins et notaires composent la majorité des juges de paix; ils ferment souvent les yeux sur les délits de leurs concitoyens qui sont aussi leurs clients et qu'ils évitent de s'aliéner.

En matière civile, des «commissaires des petites causes» reçoivent les plaintes pour des poursuites dont les montants n'excèdent pas 6 livres et 5 chelins. Le gouverneur autorise la création d'une cour des commissaires dans les paroisses rurales à la suite d'une requête signée par cent habitants ou plus; généralement, les pétitionnaires proposent les noms de deux personnes désignées par la communauté locale, proposition que ratifie le gouverneur en les nommant formellement.

Les commissaires, assistés d'un greffier, entendent le demandeur présenter sa plainte, puis le défendeur exposer son opposition; ils interrogent eux-mêmes les témoins de chaque partie. Leur décision est exécutoire et sans appel. Institution communautaire, la cour des commissaires exerce une justice proche des citoyens, sans intermédiaire et suivant une procédure réduite au minimum.

Tel est le milieu dans lequel a grandi Eugène-Napoléon Duchesnois et qu'il fera découvrir à Amury Girod.

* * *

À l'été 1833, Duchesnois a vingt-cinq ans; son épouse Françoise Ainsse, que tout le monde appelle Fanny, les atteindra en septembre. Leur mariage, alors qu'ils étaient mineurs, a été célébré le 27 août 1827 dans l'église de Varennes, avec dispense des trois bans requis par le droit canon; c'est qu'il fallait faire vite: deux mois après, le 15 octobre, naît Françoise.

À la suite de la mort de son père, le 16 décembre 1826, la tutelle du jeune Eugène-Napoléon Duchesnois a été confiée à ses oncles Aimé et Nicolas Massue. Le 17 février 1827, «voulant faire le bien et avantage du Sr Napoléon Duchesnois son pupil [...] en lui faisant apprendre une profession honorable», Aimé Massue le confie au docteur Perkins Nichols, médecin de Varennes. Le «Brevet de cléricature» prévoit que son mentor montrera et enseignera à son disciple «les dites professions de médecin, chirurgien et accoucheur et de tout ce dont il se mêle ès dites professions». Il promet aussi de «lui fournir les livres nécessaires». Massue, lui, s'engage à payer au médecin 600 livres au terme des trois ans que doit durer le contrat[4].

À Varennes, le docteur Perkins Nichols apprend à son élève l'art de guérir où la science n'intervient pas encore. Le diagnostic des maladies se limite à la palpation du patient et à l'auscultation directe. Le traitement repose sur la théorie de l'humorisme, ou équilibre des humeurs: sang, lymphe et bile. Si le médecin décèle un excès de la masse humorale, il tente de rétablir l'équilibre à l'aide de purgatif, de vomitif ou de saignée; au contraire, en présence d'une déficience, il prescrit un remède qui fortifie l'organisme, tel un bouillon, ou un stimulant, tel l'alcool.

Les maladies infectieuses occupent une place à part. Le médecin se trouve démuni pour combattre ces maladies météorologiques, miasmatiques et constitutionnelles: choléra, typhus, scarlatine, rougeole, etc. Faute de vaccin, à l'exception de la variole, la prévention demeure inconnue ; le traitement se limite à l'usage de drogues, tel l'opium, et de métaux, tel le mercure.

Eugène-Napoléon acquiert aussi les bases de la chirurgie pour le traitement des abcès, l'ablation des tumeurs, la réduction des fractures, l'extraction des dents et l'amputation des membres. En obstétrique, il apprend à utiliser les forceps et autres instruments pour faciliter un accouchement qui s'annonce compliqué[5].

Après trois ans d'apprentissage chez le docteur Perkins Nichols, Duchesnois s'inscrit au Montreal Medical Institute pour compléter sa formation. Dans la foulée de l'ouverture du Montreal General Hospital en 1819, transféré sur la rue Dorchester en 1821, a été créé cet institut en 1823, la future faculté de médecine de l'Université McGill, où enseigne, entre autres, Robert Nelson. L'étudiant y découvre sans doute le stéthoscope inventé par René Laennec et introduit au Canada depuis peu par le docteur Pierre Beaubien. Au printemps 1832, il se présente devant les membres du Bureau médical de Montréal qui lui décernent son « Diploma ad praticandum ».

La famille Duchesnois, Eugène-Napoléon, Fanny et la petite Françoise, habite une maison que leur loue Joseph Ainsse, sur un terrain adjacent à son domaine. La maison en bois s'élève sur un carré de 30 pieds sur 28 et comprend au rez-de-chaussée cuisine et chambre à coucher, ainsi que deux pièces que le nouveau médecin a aménagées pour sa pratique médicale. D'autres pièces occupent le grenier sous les combles. À côté de la maison se dresse une remise pour le cheval, la carriole et le bois de chauffage.

Le médecin est le tuteur de sa nièce Louise, âgée de cinq ans, la fille d'Étienne Duchesnois et de Louise Roy. Le père de l'enfant a été trouvé noyé le 30 septembre 1831 ; sur l'acte d'inhumation, le vicaire de Varennes, l'abbé Primeau, juge nécessaire d'inscrire que le défunt était « dérangé dans son Esprit depuis quelque temps ». Étienne s'est-il suicidé ? Probable. Son geste expliquerait la mention du vicaire qui annule l'interdiction de donner une sépulture chrétienne à un suicidé. Il expliquerait aussi que peu avant, le 16 septembre, il a cédé au notaire Alexis Pinet la maison familiale en échange d'une maison en bois et d'une somme de 12 000 livres, dont 8000 livres devant être versées à ses héritiers six mois après son décès[6]. À trente-deux ans, Étienne Duchesnois donne l'impression qu'il s'est préparé à mourir.

Le rôle du notaire Pinet dans la transaction laisse songeur : aurait-il profité de la faiblesse d'esprit du vendeur pour acquérir une grande maison de pierre située sur un vaste terrain entre le chemin public et le fleuve Saint-Laurent, où s'élèvent trois hangars, une remise pour les équipages et une charbonnière ? Le notaire est un opportuniste, comme nous le verrons. Disons qu'il a réalisé une bonne affaire et que le docteur Duchesnois doit renoncer à la maison familiale.

* * *

Entre Girod et Duchesnois, son cadet d'une dizaine d'années, s'amorce une étroite et durable relation que favorisent des idées politiques communes et des préoccupations sociales convergentes. Nous pouvons affirmer que le premier fréquente la maison et la table du second et qu'il ne tarde pas à être présenté à Zoé Ainsse, sœur de Fanny, et jeune veuve de vingt-six ans.

Elle s'était mariée le 23 août 1827. Ce jour-là, Eugène-Napoléon Duchesnois et Zoé Ainsse quittaient discrètement Varennes pour retrouver Joseph Nichols, médecin à Montréal. Les trois lurons se sont rendus à la St. Andrew's Presbyterian Church où Zoé et Joseph se sont unis « in the Holy Bonds of Matrimony ». Si l'époux en avait vingt-huit, l'épouse, à vingt ans et six mois, était mineure ; le pasteur passa outre, à moins que Zoé se fût légèrement vieillie pour la circonstance. Eugène-Napoléon a apposé sa signature après celles des nouveaux mariés et d'un obscur témoin.

En janvier 1828, le nouveau couple a quitté Montréal pour Nicolet, puis est venu s'établir à Boucherville en septembre sur une terre dont Zoé a hérité de sa mère, Thérèse Germier-Laviolette. C'est là que, le 16 mai 1829, naît Léopold qui ne vit que trois semaines ; Zoé n'aura pas d'autres enfants. Lorsque meurt Joseph Nichols, le 10 mars 1831, Joseph Ainsse se voit confier la gestion des biens de sa fille. En 1832, il prend possession de la terre de Boucherville et lui donne en échange une terre sur l'île Sainte-Thérèse[7]. Elle comprend deux maisons ; l'une est louée à un particulier, tandis que l'autre, avec les dépendances et la terre, est baillée à ferme.

Depuis la mort de son mari, Zoé vit chez son père et souhaite sûrement se libérer d'une tutelle un peu lourde. Girod lui manifeste ses sentiments qui ne la laissent pas insensible. Le 25 septembre 1833, l'une et l'autre se rendent en catimini à Montréal et, en l'absence de tout témoin, con-tractent mariage à la Scotch Presbyterian Church. Le lende-main, on peut lire dans la chronique des mariages de *La Minerve* : « En cette ville, hier Amury GIROD, écuyer, du Canton de Vaud, en Suisse, [s'est uni] à Dame Zoé Thérèse AINSSE, veuve de feu Dr Nichols, de Varennes[8]. »

Girod se retrouve bigame. Agit-il de bonne foi, certain d'être veuf depuis l'annonce de la mort de Maria dans le *Vindicator*, en juin dernier ? Accordons-lui le bénéfice du doute. Mais l'incertitude demeure.

Les nouveaux mariés s'installent dans la maison de l'île Sainte-Thérèse dès que le bail du locataire prend fin, le 20 octobre. Un fermier exploite la terre de 4 arpents de front sur le Saint-Laurent, face à Varennes, et de 18 arpents de profondeur ; il a la jouissance de la seconde maison et des bâtiments annexes ainsi que des animaux : vaches, chevaux, bélier et brebis, coq et poules, et en retour remet aux propriétaires la moitié des produits de la ferme et la moitié des croîts des brebis et vaches. Le 20 octobre 1834, Girod signe un nouveau bail de cinq ans à un nommé François Bougret[9] ; de toute évidence, il n'entend pas mettre lui-même en pratique ses connaissances agricoles

Quelle est la réaction de papa Ainsse lorsqu'il apprend qu'il a un nouveau gendre ? Il ne doit pas apprécier ce second mariage de sa fille célébré dans son dos. Il finit par se résigner et, en mars 1834, il rend compte à sa fille de l'administration de ses biens qu'il assure depuis trois ans ; bilan dressé, Zoé et son mari lui doivent la somme de 6000 livres, remboursables dans six ans, avec un intérêt de 6 %[10]. Girod n'a manifestement pas fait un mariage d'argent.

À trente-cinq ans, il est dans la force de l'âge, en pleine maturité. Un contemporain, Thomas Storrow Brown, signale sa grande taille, sa belle allure, sa présentation avenante, ses gestes vifs et souples. Il le qualifie d'exalté et note que ses finances précaires le portent parfois à se comporter de façon irrésolue et incohérente[11].

Sans anticiper sur la suite, nous pouvons souligner le côté versatile du caractère de Girod et l'image antinomique de sa personnalité. Détermination et découragement alternent dans son comportement que nous qualifierions aujourd'hui de cyclothymique. Parfois hautain et arrogant, parfois charmeur et modeste, il provoque sympathie et adversité selon les circonstances et les individus. Intelligent et instruit, il manie la plume avec une rare frénésie et un talent certain, malgré une tendance à se perdre dans les détails ; souvent, sa spontanéité compulsive l'entraîne à tenir des propos improvisés et décousus, difficiles à suivre.

Partagé entre la théorie et la pratique, entre la réflexion et l'action, entre l'idéologie et la réalité, Amury Girod est un intellectuel engagé qui parfois le regrette.

Son mariage avec Zoé lui apporte une sécurité affective et une stabilité matérielle, bien que relative. Il envisage de mettre sur pied une école normale pour former des instituteurs nés au Canada, aptes à enseigner les techniques agricoles aux enfants des paroisses rurales. Fort de l'appui des habitants de Varennes qui signent leurs noms à la suite du sien, il remet à Pierre Amiot, député de Verchères, une requête où il expose les grandes lignes de son projet et sollicite une subvention de la Chambre d'assemblée pour contribuer à son financement. Peu après l'ouverture de la nouvelle session parlementaire, en janvier 1834, le député Amiot dépose la requête, immédiatement référée au Comité permanent pour l'éducation et les écoles[12].

Girod n'obtient pas satisfaction. La Chambre d'assemblée préfère accorder ses subventions aux écoles supérieures existantes en mesure de former des instituteurs. Ce n'est qu'en 1836 que sera adoptée une politique sur la création d'écoles normales[13].

S'il ne renonce pas à ses projets pédagogiques, Girod recourt à son exécutoire de prédilection pour épancher son érudition et livrer ses considérations sur une multitude de sujets. La plume lui donne aussi la possibilité d'arrondir ses fins de mois, nécessité oblige.

Parallèlement, il complète le virage amorcé à Québec et s'engage à plein dans les rangs réformistes, en compagnie de son beau-frère Duchesnois. À partir de décembre 1833, il participera activement aux assemblées publiques du Parti patriote et se fera élire à des postes de direction ; il soutiendra les députés de la Chambre d'assemblée en contribuant à leurs travaux législatifs.

Pour éviter de rompre la continuité du récit, nous aborderons, dans un premier temps, les activités politiques de Girod au cours des trois années suivantes et, dans un deuxième temps, nous présenterons son abondante production littéraire au cours de la même période.

CHAPITRE QUATRIÈME

Le Parti patriote

L E DIMANCHE 22 DÉCEMBRE 1833. Dans la salle communautaire de la Grande maison d'école de Varennes, le notaire Alexis Pinet préside une assemblée des citoyens du village. Il est assisté d'un vice-président, le marchand Aimé Massue, et de deux secrétaires : le notaire Édouard Beaudry et Gaspard Massue, fils d'Aimé.

Amury Girod prononce le discours d'ouverture qui donne le ton à la rencontre :

> Il y a parmi nous un parti qui veut détruire la liberté ; il est composé de citoyens nés en Europe et dans les États-Unis, qui ont oublié que le sacrifice de vos droits retomberait sur leurs propres enfans ; et de Canadiens qui méconnaissant l'honneur croient l'acquérir en obtenant des places[1].

Ce parti, c'est le Parti bureaucrate que dénonce la majorité de la population, de toutes origines, précise Girod. Et de donner des exemples qui invitent à condamner l'administration du pays. Il termine en priant l'assemblée

> de considérer si le peuple ne doit pas enfin veiller à ses intérêts, s'il ne doit pas venir au secours de ses représentants pour leur faire parvenir les faits qui doivent les guider dans leur conduite parlementaire.

L'assemblée adopte une série de propositions, dont certaines présentées par les deux beaux-frères, Duchesnois et Girod. Elles reprennent les griefs formulés auparavant par des députés de la Chambre d'assemblée et visent à sensibiliser les citoyens de Varennes aux enjeux défendus par la classe politique pour les inciter à appuyer leurs élus.

Une proposition qualifie le Conseil législatif de « corps dangereux à la liberté et nuisible au bien-être de cette Province » parce qu'il représente une absurdité dans un régime constitutionnel qui prévoit la séparation des pouvoirs exécutif, législatif et judiciaire, « composé comme il est encore en partie de juges et autres fonctionnaires dépendants de l'Exécutif ». Une autre exige que « les juges doivent être également indépendants de l'administration et de la législature », tandis qu'une troisième dénonce « le cumul et le sinécurisme » qui prévalent au sein de l'administration.

L'assemblée condamne la décision du ministre anglais des Colonies qui a vendu à des intérêts privés « 840 000 acres de terres dans cette Province sans le consentement de la législature » en violant ainsi une décision antérieure du Parlement impérial qui confiait les territoires non concédés au pouvoir législatif du Bas-Canada.

Les membres de l'assemblée décident aussi de mettre en place une organisation permanente pour « veiller aux intérêts locaux » et « aux intérêts généraux et spéciaux du comté », assurer la liaison avec « ses représentants au Parlement Provincial » et travailler de concert avec les autres comtés. Ils élisent un « Bureau de Paroisse » de treize membres avec des mandats de deux ans et qui devra se réunir tous les trois mois. Paul Lussier, le seigneur des lieux, en occupe la présidence, avec Aimé Massue comme vice-président et Amury Girod comme secrétaire. Les dix autres membres sont Joseph Ainsse, Édouard Beaudry, Jean-Louis Beauchamp, Antoine Brodeur, Antoine Decelles père, Eugène-Napoléon Duchesnois,

Eustache Lussier, Félix Lussier, Christophe Monjeau fils, Alexis Pinet[2].

Ce bureau doit encourager les autres villages du comté de Verchères à former leurs propres conseils. Une invitation est lancée aux cinq paroisses concernées : Verchères et Contrecœur, sur les bords du Saint-Laurent, en aval de Varennes, et Saint-Marc, Saint-Antoine et Belœil sur la rive gauche du Richelieu.

Pendant que se déroulent leurs assemblées et que se forment leurs bureaux, Girod couche sur papier deux rapports, l'un sur les mesures à prendre pour soulager le sort des pauvres, l'autre sur les moyens requis pour améliorer l'agriculture.

Les six bureaux de paroisse se réunissent en comité central le lundi 6 janvier 1834, à Saint-Marc. L'assemblée élit ses responsables avec des mandats de deux ans : un président, Joseph Cartier, marchand de Saint-Antoine, et un secrétaire, Amury Girod, ainsi que six vice-présidents, un par paroisse ; Paul Lussier représente Varennes. Il est décidé que le Comité central du comté se réunira tous les quatre mois, dans un village différent.

De nouveau, Girod prononce le discours d'ouverture :

> Je suis heureux de me voir chargé de la part du Bureau permanent de Varennes, dont j'ai l'honneur d'être le secrétaire, de vous exprimer sa reconnaissance pour la bonté avec laquelle vos paroisses respectives ont bien voulu adopter les résolutions de notre assemblée générale[3].

Suit une longue analyse d'un problème d'actualité concernant les messieurs de Saint-Sulpice. Il termine en annonçant qu'il présentera les deux dossiers qu'il a préparés à leur intention.

L'assemblée ratifie les résolutions de Varennes. Les membres adoptent aussi les rapports sur les pauvres et sur l'encouragement de l'agriculture. Enfin, Girod reçoit le mandat d'inviter les comtés voisins à s'organiser comme celui de Verchères.

Une autre proposition, présentée par Duchesnois, sûrement suscitée par Girod, mérite de retenir notre attention : il est décidé « que Mr Girod, secrétaire du comité central du comté de Verchères, soit autorisé à entrer en correspondance avec W.L. Mackenzie, écr., député du comté d'York, dans le Haut-Canada, afin de lui transmettre et de recevoir de lui toutes les informations qui peuvent lui servir dans sa mission, qui contribueront à réunir les peuples des deux Canadas dans la poursuite de leur but commun : le bien-être du pays ».

William Lyon Mackenzie, né en Écosse en 1795, dirige le Parti réformiste à la Chambre d'assemblée du Haut-Canada où le Parti tory détient la majorité des sièges. Il correspond avec les Réformistes du Bas-Canada, notamment avec le député John Neilson ; lors d'un voyage en Angleterre, en 1832 et 1833, il a établi des contacts avec les deux députés radicaux de la Chambres des communes, Joseph Hume et John Arthur Roebuck, pour promouvoir la cause qu'il défend. Mackenzie est appelé à jouer un rôle politique de premier plan au cours des prochaines années. Il meurt à Toronto en 1861[4].

L'intention de Girod d'entrer en relation avec Mackenzie exprime son souci de ne pas restreindre l'action politique dans les limites du Bas-Canada et de chercher à établir une alliance avec les Réformistes du Haut-Canada. Attitude clairvoyante, mais pour le moins prétentieuse ; s'imagine-t-il exercer une influence plus importante et apporter une contribution plus efficace que les Neilson et les Papineau ? Il ne semble pas que le mandat donné à Girod se traduise par des suites significatives.

L'irruption de Girod en politique ne passe pas inaperçue. Son charisme, son talent et sa disponibilité suffiraient à expliquer sa rapide ascension au devant de la scène. À l'aise face à un auditoire et habile à manier la plume, il inspire la confiance et le respect. Dans notre esprit persiste cependant le sentiment que lui-même aurait préféré au préalable assurer ses arrières avant de foncer, mais qu'on favorise son engagement et le pousse à s'investir. Derrière ce « on » se profilent les figures de Ludger Duvernay et, d'Edmund Bailey O'Callaghan, sans que nous puissions apporter le moindre élément à l'appui de cette hypothèse, sinon des similitudes de pensée et de tempérament.

* * *

L'assemblée de Saint-Marc marque un point tournant dans l'histoire du mouvement patriote. Pour la première fois, on décide de mettre en place une organisation permanente.

La convocation d'assemblées publiques en dehors des périodes électorales remonte à plusieurs années. Ces rencontres permettent d'informer les citoyens des grands débats politiques et de recueillir des appuis sous forme de résolutions et de pétitions pour protester contre une décision du pouvoir colonial ou pour approuver un vote de la Chambre d'assemblée. Elles se déroulent généralement à l'échelle d'un comté comme celle tenue à Saint-Denis le 26 décembre 1827 pour dénoncer l'inaction du Conseil exécutif et l'attitude du Conseil législatif qui refuse régulièrement d'approuver des lois votées par la Chambre d'assemblée[5].

Des réunions de paroisse jouent à l'occasion le même rôle ; à Varennes, le seigneur Lussier, le marchand Massue et le notaire Pinet animent ces assemblées.

S'organisent aussi des rencontres régionales qui réunissent des centaines de citoyens de plusieurs comtés. À Saint-Charles, le 30 juillet 1832, une telle assemblée regroupait environ 500 personnes des cinq comtés de la vallée du Richelieu : Chambly, Richelieu, Rouville, Saint-Hyacinthe et Verchères. Un comité de vingt-quatre membres avait élaboré au préalable une série de propositions pour les soumettre à la discussion; Paul Lussier représentait Varennes. Plusieurs de ces propositions dénonçaient l'intervention meurtrière de l'armée à l'élection complémentaire de Montréal-Ouest, le 21 mai 1832[6].

L'assemblée des cinq comtés condamna aussi le gouvernement impérial de Londres d'avoir accordé «à une Compagnie de riches Capitalistes, étrangers aux intérêts du pays, la concession d'une très grande partie des terres incultes de la Couronne»; cette compagnie, c'est la British American Land à qui Londres entend céder un demi-million d'acres de terres dans les Cantons-de-l'Est pour les lotir et les vendre à des colons. On s'est élevé contre l'immigration excessive en provenance de Grande-Bretagne, en pleine crise épidémique de choléra. Enfin, on se prononça contre l'atteinte à la liberté de presse par les arrestations arbitraires de Ludger Duvernay, directeur de *La Minerve,* et de Daniel Tracey, directeur du *Vindicator.*

Une autre assemblée générale des cinq comtés s'est tenue le 28 septembre de la même année, toujours à Saint-Charles, convoquée par un comité de quinze membres, dont Paul Lussier. Le seigneur de la place et conseiller législatif, Pierre-Dominique Debartzch, a été élu président, entouré de cinq vice-présidents, un pour chaque comté; le nouveau conseiller législatif François-Xavier Malhiot représentait Verchères, le comté dont il avait été député avant sa nomination à la Chambre haute. Les discussions ont porté essentiellement sur les même sujets qu'à l'assemblée précédente. Un comité de quatre-vingts membres fut mis en place; il comprenait le président et les vice-présidents, ainsi que des délégués des vingt-six paroisses des cinq comtés, dont Aimé Massue et Alexis Pinet de Varennes[7].

Ce comité n'avait qu'un mandat restreint: préparer une pétition pour blâmer le rôle de l'armée le 21 mai 1832, critiquer le comportement des magistrats à cette occasion, cen-

surer la décision des juges de la cour du Banc du roi et exiger
la tenue d'une enquête ; les responsables des paroisses
devaient s'assurer que la pétition soit signée par le plus grand
nombre des électeurs des cinq comtés.

Tel était le fonctionnement du mouvement patriote
jusqu'en 1833.

* * *

Avec les décisions prises à Varennes en décembre 1833 et
approuvées à Saint-Marc en janvier 1834 se dessine la création
d'un parti politique au sens moderne du terme. Jusqu'alors,
ce qu'on qualifiait de Parti canadien, réformiste ou populaire
selon les moments, n'était en fait qu'une coalition plus ou
moins large, plus ou moins stable, de députés avec leurs
leaders, Papineau et Neilson.

La nouveauté consiste en la création de comités de
paroisse et de comités de comté élus pour deux ans avec des
mandats généraux et non plus limités. Le projet de former
une structure de coordination entre les comtés aussi est
nouveau ; un Comité central et permanent est créé en avril
1834 à Montréal.

Les journaux favorables au mouvement contribuent à
diffuser ses idées et à rapporter les délibérations des instances
partisanes : à Montréal, *La Minerve* de Ludger Duvernay et
Le Vindicator d'Edmund Bailey O'Callaghan qui a succédé à
Daniel Tracey, mort du choléra ; à Québec, *Le Canadien*
d'Étienne Parent et *La Gazette* de John Neilson. Cela ne suffit
plus. Des responsables sont nommés pour établir la liaison
entre les diverses instances et transmettre les mots d'ordre.

Avec ces changements, le Parti patriote préfigure les partis
populaires du siècle suivant ; au Québec, il faudra attendre la
Fédération libérale et surtout le Parti québécois pour retrouver de semblables organisations. Certes, aucuns statuts ne président au fonctionnement du Parti patriote et ses adhérents

ne détiennent pas de carte de membre ; nul congrès général ne permet d'élire une direction nationale et d'adopter un programme officiel. Mais des structures locales, dirigées par un bureau, regroupent ses militants, des comités dirigent l'action dans les comtés, un organisme central coordonne ses activités ; l'actualité fait l'objet de délibérations décentralisées et des propositions sont adoptées par des assemblées générales. Une nette distinction est établie entre le rôle d'une aile parlementaire et celui d'une aile militante, anachronisme que l'on voudra bien accepter.

Nous ignorons à quel rythme ce modèle d'organisation s'implante dans les comtés et quel est le niveau de permanence de ses instances lorsqu'elles voient le jour, l'étude du Parti patriote comme parti politique restant à faire. Nous savons que les comités de comté se multiplient au cours de 1834 et que plusieurs fonctionneront pendant des années.

Tout indique que Girod en est l'instigateur. Sa formation et son expérience le portent naturellement vers une organisation structurée, de type pyramidal, où les dirigeants peuvent mobiliser et orienter l'action de la base et où celle-ci s'exprime par l'élection des responsables aux divers échelons et l'adoption des résolutions discutées dans les assemblées. C'est l'assemblée de Varennes qui, la première, a mis de l'avant les principes retenus par la suite par le comté de Verchères et les autres comtés du Bas-Canada.

Un parti politique sans programme ne serait qu'un regroupement d'agitateurs, d'opportunistes et de carriéristes. En définissant et en diffusant ses orientations constitutionnelles et ses objectifs économiques, sociaux et culturels, un parti quitte le terrain des dénonciations et des revendications face au pouvoir en place ; il exprime sa propre conception de la société qu'il prétend représenter, des changements au fonctionnement de ses institutions qu'il envisage et des choix de développement qu'il propose.

Avant 1834, l'expression de ces visées et de ces intentions s'est manifestée progressivement, lors des débats à la Chambre d'assemblée et à l'occasion d'assemblées publiques ; les discours des chefs et la présentation de résolutions ont peu à peu précisé les objectifs à atteindre. La nécessité d'un programme formel qui intègre ces diverses prises de position et comble les lacunes devenait essentiel.

Louis-Joseph Papineau en assure la réalisation par la présentation des fameuses *92 Résolutions* qui contribuent à donner au Parti patriote la base de son programme et à offrir aux électeurs un projet de société. Elles ne constituent pas en soi un programme officiel, au sens où nous l'entendons aujourd'hui. D'une part, les *92 Résolutions* sont présentées à la Chambre d'assemblée pour éventuellement être transmises au Parlement de Londres comme l'expression des volontés du peuple canadien ; d'autre part, en l'absence d'un gouvernement élu et responsable devant le pouvoir législatif, elles ne peuvent qu'exprimer une vision des choses, sans engagement de mise en application.

Il n'y a pas lieu de présenter ici ces *92 Résolutions,* encore moins d'en faire l'analyse. Contentons-nous de rappeler qu'elles reprennent les revendications traditionnelles des Réformistes et en ajoutent d'autres. Plusieurs touchent les institutions politiques : autonomie du Bas-Canada dans ses affaires intérieures, responsabilité du Conseil exécutif devant la Chambre d'assemblée, élection des membres du Conseil législatif, création de municipalités pour prendre en charge les questions locales et la police, refonte du système judiciaire. On demande l'application des lois civiles françaises sur l'ensemble du territoire et l'abolition du Canada Tenure Act qui autorise la conversion des titres de propriété en « franc et commun soccage », selon l'expression tirée du droit anglais. En éducation, elles proposent l'ouverture de nouvelles écoles primaires, la création d'écoles normales, la formation de bureaux d'examinateurs responsables d'émettre des permis d'enseignement aux instituteurs.

Papineau en a dressé les grandes lignes, Augustin-Norbert Morin, député de Bellechasse, en a fait la rédaction finale et Elzéar Bédard, député de Montmorency, les présente en février 1834 à la Chambre d'assemblée ; elles sont adoptées par 56 voix contre 23 et complétées par une adresse au roi Guillaume IV. La Chambre désigne Morin pour porter le tout à Londres.

Les dirigeants du Parti patriote, dont Papineau devient le chef incontesté à la suite de la dissidence de John Neilson qui s'est prononcé contre les *92 Résolutions*, suscitent la tenue d'assemblées générales dans les comtés pour en prendre connaissance, en discuter et se prononcer. Ces assemblées de citoyens permettent aussi de mettre en place des comités de comté, là où ils n'existent pas encore, et des comités de paroisse pour recueillir des signatures d'appui.

L'assemblée du comté de Verchères se déroule le 3 avril à Verchères, dans la salle communautaire du presbytère, sous la présidence de Paul Lussier. Nous ignorons le nombre de participants qui donnent leur appui aux *92 Résolutions*. Ils transmettent leurs félicitations à leurs deux députés, Pierre Amiot et Joseph-Toussaint Drolet, pour « leur conduite énergique, ferme et indépendante dans la Chambre d'assemblée » et « s'engagent à les soutenir à la prochaine élection pour être de nouveau leurs représentants ». Ils demandent au comité central du comté de « dresser immédiatement une pétition au parlement impérial pour supporter celle de la Chambre d'assemblée » et de désigner sept délégués pour la convention du district de Montréal convoquée pour le 7 avril[8].

Les habitants de la ville de Montréal et des paroisses rurales de l'île ont tenu, le 2 avril, leur assemblée au marché du faubourg Saint-Laurent, avec 3000 participants. En plus de manifester leur appui à leurs députés et d'approuver les *92 Résolutions*, ils ont formé leurs comités de paroisse : celui de

Montréal et ceux des dix villages de l'île, de Sainte-Anne à Pointe-aux-Trembles, en passant par Lachine, Saint-Laurent et Rivière-des-Prairies[9].

La convention du 7 avril réunit les délégations des comtés du district judiciaire de Montréal qui adoptent une adresse à la Chambre des communes de Londres dans laquelle ils manifestent leur appui à la Chambre d'assemblée et aux *92 Résolutions*. Plus importante est la décision de mettre sur pied un Comité central et permanent composé des délégués des vingt-deux comtés du district de Montréal, soit près de la moitié du Bas-Canada ; les districts de Trois-Rivières, Québec et Gaspé ne comprennent respectivement que sept, quatorze et trois comtés. Le nombre total des membres du Comité central et permanent n'est pas connu, mais entre 50 et 75 délégués se présentent à chacune de ses réunions ; les participants proviennent surtout de l'île de Montréal et des comtés limitrophes, Deux-Montagnes, Terrebonne et L'Assomption au nord, et La Prairie, Longueuil et Verchères, au sud.

Le Comité central et permanent n'a pas de président élu pour une durée fixe ; à chaque réunion, les délégués présents choisissent parmi eux celui qui dirigera leurs débats. Par contre, deux secrétaires assurent la continuité de ses activités : convocation, procès-verbaux, suites données aux décisions : en 1834, l'avocat Charles-Ovide Perrault et le médecin Edmund Bailey O'Callaghan occupent ces fonctions. Les réunions mensuelles se déroulent à la librairie Fabre qui sert aussi de permanence, d'adresse postale et de lieu de rencontre. On sait qu'Édouard-Raymond Fabre est le beau-frère de C.-O. Perrault et le propriétaire du *Vindicator* que dirige E. B. O'Callaghan.

Des sous-comités s'occupent de la correspondance, de la diffusion des prises de positions, des relations avec les comtés et du financement ; des sous-comités provisoires permettent de traiter des projets particuliers, comme la rédaction d'un mémoire. Le Comité central et permanent exerce trois grandes fonctions : adopter des prises de position sur les sujets d'actualité et s'assurer d'en diffuser le contenu dans les journaux ; préparer des dossiers et les transmettre à l'aile parlementaire du parti pour en saisir la Chambre d'assemblée ; rédiger des résolutions à l'intention des comités de comté et envoyer des orateurs aux assemblées générales.

Le rôle, la composition et le fonctionnement du Comité central et permanent ressemblent singulièrement à ceux du Conseil général du Parti libéral et du Conseil national du Parti québécois, tels qu'ils existent aujourd'hui.

Girod siège au Comité central et permanent avec les autres délégués du comté de Verchères et participe régulièrement aux réunions. Au départ, il se contente d'appuyer des propositions présentées par d'autres. Ainsi, cette motion adoptée à la réunion du 1er juillet : « Que les membres de la Chambre d'assemblée soient membres du Comité central et permanent[10] ».

À la réunion du jeudi 4 septembre 1834, il invite l'assemblée à se pencher sur les dangers que représente, pour le développement des terres arables, la British American Land dont la loi d'incorporation vient de recevoir la sanction royale à Londres et il annonce huit résolutions qu'il soumet à la discussion. Son discours de présentation porte en grande partie sur les avantages pour les nouveaux colons, tant les Canadiens que les émigrés, de pouvoir s'installer sur des terres seigneuriales à un coût modeste et en vertu des lois civiles françaises, alors que l'achat d'une terre de la British American Land exigera des débours élevés et que s'appliqueront les lois anglaises incompatibles avec celles du pays. Il conclut :

> Les résolutions que j'aurai l'honneur de vous soumettre ont pour but de contribuer à obtenir le rappel de la charte de la compagnie des terres, gage unique de la tranquillité et de

la paix en Canada et à obtenir qu'on laisse à la législature provinciale de pourvoir d'une manière avantageuse à l'établissement d'émigrés parmi nous, en leur offrant les facilités que leur garantissent nos institutions[11].

Le Comité central et permanent approuve les huit propositions et demande à l'un de ses secrétaires, Charles-Ovide Perrault, de former un sous-comité pour préparer un mémoire à cet effet, avec Girod et Jean-Philippe Boucher-Belleville, délégué du comté de Richelieu. Le mémoire, reçu et approuvé le 6 octobre suivant par le Comité central et permanent, est imprimé afin de le diffuser[12].

À cette même réunion, l'assemblée décide aussi de former un sous-comité de cinq membres «pour préparer une Adresse aux électeurs sur les élections prochaines dans la vue qu'elles continuent à être dans le sens du pays et à l'appui des procédés de la Chambre d'Assemblée, avec pouvoir de publier la dite Adresse». Si la rédaction maladroite révèle son improvisation, le texte n'en indique pas moins une intention claire: inciter les électeurs à voter pour les candidats réformistes.

* * *

Le 9 octobre 1834, le gouverneur Aylmer dissout le 14e Parlement du Bas-Canada et ordonne des élections générales pour renouveler la Chambre d'assemblée. Les électeurs sont appelés à choisir deux représentants dans quarante-deux circonscriptions et un seul dans quatre, pour un total de quatre-vingt-huit députés. Le vote, on le sait, se déroule en public: chaque électeur se présente au bureau de scrutin, décline son identité, et, à haute voix, dévoile les noms des candidats qu'il appuie; le greffier consigne ses choix dans un registre. Le scrutin se déroule pendant plusieurs jours jusqu'à ce que le greffier décide de le clore, faute de nouvel électeur.

Un thème unique domine la campagne électorale: l'acceptation ou le rejet des *92 Résolutions*. Le Parti patriote mobilise ses troupes pour engager les partisans réformistes à voter et pour convaincre les tièdes à se rallier; nous dirions aujourd'hui qu'il « fait sortir son vote ».

C'est le raz-de-marée. Les électeurs plébiscitent le Parti patriote en élisant soixante-dix-sept de ses candidats qui représentent 95 % de la population du Bas-Canada; John Neilson, l'ancien bras droit de Papineau, et les autres transfuges qui s'étaient élevés contre les *92 Résolutions* mordent la poussière. L'opposition bureaucrate se réduit à onze députés issus des comtés anglophones de Gaspé, de l'Outaouais et des Cantons-de-l'Est.

Les deux secrétaires du Comité central et permanent siègent désormais à la Chambre, Charles-Ovide Perrault comme député de Vaudreuil et Edmund Bailey O'Callaghan comme député d'Yamaska.

À peine la première session du 15e Parlement est-elle ouverte, le 21 février 1835, qu'une nouvelle scission se produit dans le camp patriote, autour du député de Montmorency, Elzéar Bédard, qui déplore la stratégie agressive de Louis-Joseph Papineau et de ses lieutenants à l'endroit du gouverneur; Bédard crée un groupe parlementaire dissident avec plusieurs députés de la région de la capitale auquel se joindra le député de Richelieu, Clément-Charles Sabrevois de Bleury. Le Parti patriote conserve néanmoins la majorité de la Chambre. Le gouverneur Aylmer prend vite conscience de la situation et renonce même à présenter les prévisions budgétaires de la prochaine année, sachant qu'elles seront rejetées; il met fin à la session le 18 mars. Londres saisit le message et décide de rappeler Aylmer.

En avril, le nouveau ministre des Colonies, Charles Grant, désigne lord Archibald Acheson, comte de Gosford, gouverneur général des colonies canadiennes; il lui confie aussi la présidence d'une commission d'enquête sur la situation politique au Bas-Canada, avec deux autres commissaires, Charles

Grey et George Gipps. Le ministre communique aux commissaires des instructions secrètes et précises sur les suites à donner aux revendications des *92 Résolutions*. Il est disposé à
accepter les moins importantes, mais s'oppose à celles qui
exigent des changements substantiels aux institutions politiques : responsabilité du Conseil exécutif devant la Chambre
d'assemblée, élection du Conseil législatif, cession des terres
de la Couronne à la province, contrôle des finances publiques
par la législature.

Sur le terrain, dans l'attente de l'arrivée du nouveau gouverneur, les activités politiques tournent au ralenti.

Le 24 juin 1835, Girod assiste à Montréal au banquet de la
Saint-Jean-Baptiste. C'est Ludger Duvernay qui, l'année précédente, avait organisé pour la première fois la tenue d'un
banquet pour rassembler les notables canadiens et promouvoir la cause patriotique ; il avait lui-même porté un toast au
« Peuple, source primitive de toute autorité légitime ». Le
second banquet de 100 convives se déroule à l'hôtel Rasco,
sous la présidence de l'avocat Denis-Benjamin Viger. Les invités entonnent la *Marseillaise*, le jeune George-Étienne Cartier
interprète son « O Canada, mon pays, mes amours » qu'il a
composé et dont le succès nous est connu.

Parmi les nombreux toasts, retenons celui porté à la santé
de Daniel O'Connell, héros et chef des Irlandais. Girod se
charge d'en faire l'éloge. Il dénonce le fanatisme protestant
qui, en Irlande comme au Bas-Canada, cherche à éradiquer la
religion catholique dans les écoles et à favoriser l'Église
d'Angleterre au détriment de l'Église romaine. Et d'ajouter :

> Veuillez vous rappeler, Messieurs, que c'est un protestant
> qui vous adresse ces paroles, un protestant dans toute la
> force du terme, qui proteste contre toute oppression tant
> politique que religieuse [...][13].

Il termine par un appel, en témoignage d'estime et de
respect à O'Connell, à l'union des Canadiens d'origine française et des Canadiens d'origine irlandaise.

Au mois d'août, le nouveau gouverneur Gosford débarque à Québec, rempli de bonnes intentions. Il ouvre la deuxième session du 15ᵉ Parlement le 25 octobre 1835 ; de façon générale, son discours, son comportement et son esprit conciliant suscitent des réactions favorables dans le camp patriote qui réaffirme néanmoins son attachement aux *92 Résolutions*. Une trêve tacite entre le gouverneur et le Parti patriote permet à la Chambre d'assemblée de travailler dans un climat serein ; des mandats sont donnés aux commissions parlementaires pour enquêter sur les problèmes de l'heure, dans l'esprit des *92 Résolutions*. Trois d'entre elles convoquent Girod pour entendre son témoignage.

* * *

Le Comité permanent sur les terres et les droits seigneuriaux se penche sur le complexe et explosif dossier de la mise en valeur des terres en friche, tant celles qui relèvent des seigneuries que celles que la Couronne a concédées à des intérêts particuliers. Girod, qui a entrepris une recherche sur ce sujet, est invité à répondre aux questions des députés le mardi 22 décembre ; il reviendra les 29 décembre et 5 janvier.

Selon son témoignage[14], la politique d'octroi de nouvelles terres a surtout profité aux « Officiers du Gouvernement, leurs familles et amis » qui spéculent sur elles, sans encourager leur peuplement et leur exploitation. Il précise que cette politique constitue un détournement des volontés du gouvernement de Londres qui favorisait le maintien des règles issues du régime français. « Les ordres les plus positifs du Roi ne produisaient sur le Conseil Exécutif aucun autre effet que la ferme résolution de ne pas les exécuter. » Girod s'élève aussi contre les abus des seigneurs à l'endroit des censitaires et précise que l'exemple leur en est donné par les autorités du Bas-Canada dans les anciennes seigneuries des Jésuites saisies et rattachées à la Couronne.

La démonstration de Girod est accablante. Il cite les noms de membres du Conseil exécutif, du Conseil législatif, de juges et de marchands anglais qui tirent profit du système ; il donne des chiffres sur les possessions foncières des uns et des autres. Il explique pourquoi ces terres restent incultes, alors que les cultivateurs doivent morceler les leurs pour les partager entre leurs enfants. Les députés paraissent ravis de poser des questions auxquelles Girod répond avec force détails et développements et que, de toute évidence, il leur a soufflées. Son témoignage prend les allures d'une manœuvre parlementaire.

En janvier 1836, il est de nouveau convoqué à Québec, cette fois par le Comité permanent de l'éducation et des écoles qui examine les qualifications des instituteurs et leur formation. Une enquête menée en novembre 1835 par quarante-huit députés dans leurs circonscriptions a montré que beaucoup d'instituteurs paraissaient posséder les compétences requises mais que subsistent un grand nombre qui n'ont pas les aptitudes minimales pour l'enseignement. Le comité envisage de recommander la création d'écoles normales et souhaite connaître le point de vue de Girod qui, on s'en souvient, avait présenté une requête, à l'automne 1833, pour obtenir une aide financière afin d'ouvrir une telle école à Varennes, requête demeurée sans suite.

Durant la première séance[15], le jeudi 14 janvier, Girod décrit la médiocrité du système scolaire suisse au début du siècle et les efforts pour y remédier réalisés par Fellenberg dont il présente la philosophie pédagogique et l'organisation de ses établissements. À la demande d'un député, il explique les raisons de l'échec de l'école d'agriculture de Québec qu'il a dirigée deux ans auparavant.

Au cours d'une seconde séance, le samedi 16 janvier, Girod répond longuement aux questions des députés sur « la marche à suivre pour établir une ou plusieurs écoles normales en cette Province » et sur « les moyens de mettre ce plan à exécution ». Ses propos portent sur l'importance de lier formation générale et formation pratique, soit agricole, soit industrielle, et sur l'organisation des études. Il souligne la nécessité que les élèves, âgés de quinze ans et plus, s'engagent à suivre les cours pendant cinq années et à prendre charge par la suite d'une école élémentaire pendant cinq autres années. Il suggère de créer deux écoles normales, l'une à Québec et l'autre à Montréal, et offre ses services pour contribuer à leur mise en place.

On sent dans la présentation transcrite *verbatim* que Girod a bien préparé son témoignage et que, tout en retenant l'essentiel, il a su adapter son projet initial à la situation canadienne. Il a tiré leçon de son échec et le projet qu'il soumet est précis et bien présenté. Il insiste, entre autres, sur la nécessité de former des instituteurs d'origine canadienne.

Dans son rapport, le Comité recommandera de créer des écoles normales à Québec et à Montréal, pour les garçons, et de verser des subventions à trois pensionnats de religieuses pour la formation des institutrices. Une loi sera adoptée en ce sens en mars. Ni l'offre de services de Girod, ni celle présentée plus tard par le protonotaire Joseph-François Perrault ne seront retenues. L'école normale de Montréal fonctionnera plus ou moins et fermera ses portes en 1842 après n'avoir octroyé que quatre diplômes. Celle de Québec ne verra pas le jour. Seules les religieuses connaîtront un certain succès avec une vingtaine d'élèves[16].

Passe un mois et Girod retourne à Québec, cette fois pour témoigner devant le comité chargé d'enquêter sur la situation des prisons du Bas-Canada. Le 17 février, le président, Édouard-Étienne Rodier, député de L'Assomption, l'invite à transmettre les conclusions qu'il tire de sa connaissance des systèmes pénitentiaires en France, en Allemagne rhénane et en Suisse romande, ainsi qu'aux États-Unis[17].

Selon Girod, l'emprisonnement doit viser la réhabilitation des détenus : « Il me semble que l'objet de toute punition que la loi inflige aux criminels n'est pas seulement [de] les séquestrer de la société pendant un temps donné, mais encore de les rendre à cette société dans un état à pouvoir vivre au milieu d'elle sans être dangereux. » D'où l'importance de permettre au prisonnier d'apprendre « quelques arts ou métiers », de l'amener à quitter la prison « en état de se créer une honnête existence » et de lui fournir un encadrement dans les semaines qui suivent son élargissement. Cette philosophie oriente, explique-t-il, les établissements européens et les établissements américains qui appliquent le modèle dit d'Auburn.

Il rejette le modèle retenu à Philadelphie, et dans d'autres prisons des États-Unis, qui recherche la rééducation des criminels par la réclusion permanente et prétend les transformer en hommes vertueux. À ses yeux, cette approche brime la liberté des individus : « La Société, je le dis encore, n'a pas le droit de vouloir dominer sur les opinions et la conscience de ses membres. » Par ailleurs, « la réclusion perpétuelle [...] mine et la santé physique et la mentale [des détenus] ». Ce système provoque rancune et désir de vengeance chez le prisonnier et obtient des résultats contraires à ceux recherchés.

Girod revient devant les membres du comité le 19 février pour aborder la prévention des crimes et décrire les maisons de refuge et les maisons de travail que des États européens ont établies dans ce but et dont il en a visité quelques-unes. Les premières accueillent les enfants qui ont commis un premier délit « par légèreté et je veux même croire par besoins » ; grâce à l'instruction reçue et à l'apprentissage d'un métier, entre 80 % et 90 % d'entre eux en sortent honnêtes.

Les maisons de travail s'adressent aux vagabonds et autres miséreux pour les héberger, les nourrir, les habiller et leur apprendre un métier industriel ou agricole. Les revenus tirés de leur travail assurent leurs pensions et les frais de gestion ; une partie est mise de côté à leur intention lorsqu'ils décideront de quitter l'établissement. Chacun peut puiser dans son capital pour aller visiter sa famille ou ses amis, les jours de congé.

Maisons de refuge et maisons de travail existent dans tous les départements français, les cantons suisses et les arrondissements de la Rhénanie. Girod invite la Chambre d'assemblée à adopter une loi pour favoriser l'ouverture d'établissements similaires au Bas-Canada.

Rappelons qu'il faudra attendre une trentaine années pour que soient séparés des adultes les jeunes délinquants par la création d'écoles de réforme à l'intention des adolescents, garçons et filles, qui pourront apprendre un métier.

La triple prestation de Girod lui a permis de consolider son réseau parmi les députés du Parti patriote et, ce qui n'est pas à dédaigner, de recevoir des émoluments pour son expertise. Il a aussi été en mesure de constater la détérioration du climat politique.

* * *

La session parlementaire inaugurée en octobre sous d'heureux auspices se termine par une autre crise. Le 13 février 1836, coup de tonnerre : Papineau dépose à la Chambre d'assemblée une partie des instructions secrètes que le ministre des Colonies avaient données au gouverneur Gosford ; c'est le chef des Réformistes du Haut-Canada, William Lyon Mackenzie, qui les lui a transmises. Le groupe dissident de Québec, dirigé par le député Elzéar Bédard, s'oppose à leur réception au nom de la bonne entente avec le gouverneur Gosford et présente une motion en ce sens ; le Parti patriote, fort de sa majorité, rejette la proposition.

Gosford, bon prince, joue le jeu et communique aux députés le texte intégral de ses instructions. Veut-il obtenir la reconnaissance de Papineau en décapitant le groupe des modérés et l'aider à consolider sa majorité ? Le 22 février, il nomme Bédard juge à la cour du Banc du roi. Plusieurs députés estiment au contraire qu'il a acheté la conscience de leur collègue et qu'il le récompense pour services rendus. La méfiance s'accroît de jour en jour.

Le député de la basse-ville de Québec, Georges Vanfelson, prend la relève de Bédard et propose un vote de confiance en faveur du gouverneur Gosford et une trêve au conflit qui oppose la Chambre d'assemblée et le Conseil exécutif en votant les prévisions budgétaires pour la prochaine année. Papineau et les siens combattent cette proposition qui est battue par onze voix seulement, quarante-deux députés votant contre et trente et un en faveur.

La confortable majorité du Parti patriote s'effrite avec l'alliance du groupe de Québec et du Parti bureaucrate. Papineau et à ont dû battre le rappel des troupes pour éviter de perdre ce vote crucial ; ils n'ont pu rallier le député de Richelieu, Clément-Charles Sabrevois de Bleury, qui a voté avec les dissidents. La session se termine à la fin de mars dans une climat de tensions extrêmes où les parlementaires s'échangent insultes et invectives ; un pugilat oppose Perrault et Bleury sur le parquet de l'assemblée.

Girod, par sa faute et pour son malheur, se retrouvera lui-même au centre d'un affrontement avec Sabrevois de Bleury où il perdra la face.

Tout commence à Saint-Ours. La Chambre siège encore lorsque le comité central du comté de Richelieu convoque une assemblée publique le 7 mars où se réunissent entre 500 et 600 habitants. Après les discours du docteur Wolfred Nelson et du capitaine de milice Siméon Marchesseault, les participants adoptent une série de propositions sur le devoir des électeurs de s'assurer que leurs représentants respectent leurs engagements, sur les objectifs intouchables des *92 Résolutions* et sur la défense des droits du peuple. L'assemblée rend hommage à son député Jacques Dorion qui a mérité « la confiance et l'estime » de ses suffragants. En revanche, elle « réprouve et répudie » le comportement de leur autre député, Sabrevois de Bleury, lors du vote sur les subsides[18].

Une seconde assemblée, tenue à la demande de Bleury, se déroule le 25 mars, toujours à Saint-Ours. Le député censuré explique longuement à la foule les motifs de son vote, sans convaincre grand-monde, semble-t-il. Nelson et Marchesseault prennent de nouveau la parole pour justifier la position du Parti patriote. L'affaire en serait restée là si le débat ne s'était transposé dans les journaux. Dans la même édition de *La Minerve*[19], on peut lire Ludger Duvernay qui écrit : « Si chaque comté surveille ainsi la conduite de ses membres, il leur sera difficile de s'écarter de leurs vues, à moins qu'il ne consente à perdre son siège à une nouvelle élection » ; Édouard-Étienne Rodier, sous la signature de « Baptiste », qui se réjouit « de la défaite de Mr de Bleury et de sa rétractation » ; enfin, un texte de Girod où il décrit Bleury « rétractant formellement tout ce qu'il a fait, tout ce qu'il a dit, et promettant bonne conduite et fidélité aux 92 [Résolutions] à condition qu'on lui pardonne, jusqu'à ce qu'il aura obtenu soit un chapeau à trois cornes, soit une robe de soie, soit la perruque de conseiller ».

Léon Gosselin, ami intime de Bleury et son secrétaire à l'occasion, réplique, sous le pseudonyme « Le Patriote », pour dénoncer dans un long article ces écrits « remplis d'inexactitudes[20] » et donner une tout autre version du déroulement de l'assemblée. La polémique aurait cessé s'il n'avait jeté de l'huile sur le feu par des attaques personnelles contre Rodier et Girod, les traitant d'écervelés et les accusant de s'être rendus en toute hâte à Saint-Ours « pour intriguer et ameuter les électeurs contre M de Bleury ».

Piqué au vif, Rodier réagit par une lettre à l'éditeur de *La Minerve*. Sur un ton froid et cassant, il réfute point par point

les allégations de Gosselin, puis il explique sa présence for-
tuite à Saint-Ours en compagnie de Girod, « un homme instruit, respectable et patriote » dont il préfère la société à
« celle d'un ignorantin [Bleury] qui paye l'encens d'un mer-
cenaire [Gosselin] ». En terminant, il « abandonne le maître
et le valet au jugement du public[21] ».

La riposte de Girod manque de mesure. Le persiflage où il
excelle cède vite la place aux injures. « Je considère Charles
Clément Sabrevois de Bleury, écr, l'homme le plus dégradé, le
plus vil et le plus lâche de l'Amérique[22]. » Passe encore, mais
non. Toujours en colère, en quittant les bureaux de *La Minerve*
où il vient de remettre son texte, il croise Sabrevois de Bleury,
l'interpelle et lui assène un coup de fouet. Témoin, le juge de
paix Holt met en état d'arrestation Girod pris en flagrant délit
d'assaut et de voie de fait. Il est libéré un peu plus tard,
moyennant une caution de 20 livres qu'il verse avec deux amis.

Girod a commis un impair énorme : on ne frappe pas un
Sabrevois de Bleury. Le geste outrepasse le respect dû à une
personnalité, fût-elle un adversaire ; il est inconvenant, malap-
pris et disgracieux. Pire, il est vil, l'agresseur n'ayant formulé
aucune accusation, ni exigé rétractation.

Girod en est conscient. Il s'explique, plutôt maladroite-
ment et du bout des lèvres, mais reconnaît ses torts :

> Après avoir appelé ce Monsieur [Bleury] quand il se détour-
> nait de mon côté, j'aurais dû d'abord lui demander s'il
> voulait rétracter ce qu'il avait dit à mon égard ; pendant que
> la colère m'a malheureusement emporté au point de le
> frapper sans avoir demandé cette rétractation. C'est un tort
> que je n'ai pas honte de reconnaître publiquement parce
> que publiquement je m'en suis rendu coupable[23].

Trop peu et trop tard. L'outragé, qui n'hésite pas à provoquer en duel quiconque l'a offensé, traite avec mépris ce
métèque : point de cartel, mais une réclamation de 500 livres
pour tort et dommage.

Girod subit d'abord un premier procès devant la cour des sessions criminelles pour répondre à l'accusation d'avoir troublé la paix et l'ordre. Charles-Ovide Perrault et Édouard-Étienne Rodier assurent sa défense, preuve d'amitié et de solidarité qui consomme la rupture avec leur collègue de la Chambre d'assemblée. Le 29 avril, les jurés le déclarent coupable, mais la cour ne le condamne qu'à 10 dollars d'amende[24].

Toute cette histoire aboutit à la publication, à l'été 1836 et aux États-Unis, à Rome, État de New York, d'un brûlot intitulé *La petite clique dévoilée* et attribué à Hyacinthe-Poirier Leblanc de Marconnay, issu de la noblesse poitevine et venu au Canada en 1834. L'auteur se porte à la défense de Sabrevois de Bleury, victime, selon lui, d'un complot dirigé par l'avocat Louis-Hippolyte La Fontaine, député de Terrebonne, le médecin Edmund Bailey O'Callaghan, directeur du *Vindicator*, et l'avocat Charles-Ovide Perrault, député de Vaudreuil.

Marconnay les accuse d'avoir embrigadé Rodier et Girod pour mener leurs manœuvres contre Bleury. Girod ne mérite que mépris :

> Dans tous les pays du monde, on rencontre quelques uns de ces aventuriers, de ces vauriens rejettés des sociétés plaisibles, qui sont prêts à se livrer à toutes les influences, pourvu qu'ils en retirent ou qu'ils en espèrent un avantage personnel. [...] Ce Suisse devenait un digne mercenaire pour la petite clique dans la belliqueuse campagne qu'elle se proposait de faire contre Mr de Bleury[25].

Il présente en détail son interprétation du déroulement de l'assemblée de Saint-Ours. Il condamne le comportement de Rodier et de Girod à cette occasion et tourne en ridicule leurs explications publiées dans *La Minerve*, avec la complicité de son directeur, Ludger Duvernay, « l'individu le plus sot ». Il qualifie le procès intenté à Girod de « parodie judiciaire » et dénonce la connivence du président du tribunal, Denis-Benjamin Viger.

La publication de ce pamphlet, à l'étranger et sans mention d'auteur, place Girod dans l'impossibilité d'entreprendre des poursuites pour libelle diffamatoire. Il se garde d'en réfuter les attaques anonymes et d'autant plus dangereuses ; elles laisseront des traces.

Au moment de la sortie de la brochure, Girod attend toujours son procès au civil, devant la cour du Banc du roi, initialement fixé au 1er juin. Girod désirait-il présenter sa défense avant l'audition de la poursuite ? En mai, dans une série de trois articles[26] intitulés « Jean-Paul en justice », il relatait, dans son style coloré, les péripéties qui ont conduit à son premier procès, le déroulement du procès avec les déclarations des témoins à charge et les plaidoyers des avocats. Suivait une longue digression sur le duel, « reste de la barbarie du moyen âge », pour dénoncer le recours aux armes comme moyen de régler un litige entre deux hommes. Enfin, il s'en prenait en long et en large à Sabrevois de Bleury dont il qualifiait la conduite indigne et malicieuse.

Cette longue missive nous permet de constater que Girod n'entend pas baisser pavillon et qu'il est résolu à gagner la bataille juridique. Elle révèle de plus que Ludger Duvernay n'hésite pas à lui offrir la une de *La Minerve* pour attaquer.

Le temps et peut-être la sortie de *La petite clique dévoilée* auront raison de sa détermination. Le procès est sans cesse reporté ; de plus en plus inquiet d'un probable verdict en faveur du plaignant, sachant son incapacité à payer une somme de 500 livres et risquant la prison, Girod finit par craquer. Fin septembre, il signe une humiliante rétractation dictée par Léon Gosselin, l'avocat et ami de Sabrevois de Bleury :

> Je soussigné, Amury Girod, de Varennes, reconnais que Charles Clément Sabrevois de Bleury, écr, avocat et membre du Parlement, ne m'a jamais provoqué, ni insulté en aucune manière ; que l'assaut par moi commis sur sa personne, le 7 avril dernier, l'a été injustement et sans que rien

en sa conduite envers moi, ait pu y donner lieu. Je reconnais enfin que j'ai eu dans cette occasion la faiblesse de céder à de faux rapports qui m'avaient été faits contre lui.

Je déclare de plus que les écrits que j'ai publiés dans la Minerve relativement à M. de Bleury sont aussi injustes et immérités que l'assaut plus haut mentionné et sont le fruit de l'erreur où j'ai été entraîné par les rapports dont je viens de parler.

J'aime enfin à reconnaître qu'à ma demande plusieurs personnes ont bien voulu être mes intermédiaires auprès de M. de Bleury et que ce dernier s'est montré assez généreux pour discontinuer l'action qu'il avait intentée contre moi afin d'obtenir des dommages. C'est pourquoi, aussitôt que j'ai été édifié sur mes torts, je suis venu de l'avant avec la présente déclaration volontairement et sans aucune suggestion de la part de M. de Bleury et je l'autorise à faire l'usage qu'il voudra des présentes[27].

Les amis de Girod trouvent déplorable cette déclaration. Charles-Ovide Perrault écrit à Édouard-Raymond Fabre : « Elle [la rétractation] est trop rampante ; c'est se traîner dans la boue après avoir chanté bien haut. J'en suis fâché pour Girod ; c'est un acte tout à fait à son désavantage. La violence n'est pas toujours accompagnée d'énergie et il nous en donne un exemple[28]. »

Girod tente, avec maladresse, d'expliquer son geste dans une lettre à Ludger Duvernay en date du 27 septembre 1836[29] :

J'ai appris, non seulement avec mortification, mais avec une vive peine, combien l'issue de mon affaire avec Mr. de Bleury a soulevé mes amis contre moi.

Il affirme avoir été induit en erreur par plusieurs personnes, que certains de ses témoins « avaient perdu la mémoire ». Il n'a eu que peu de temps pour examiner le texte de sa rétractation. Il termine en se justifiant :

Je n'ai pas lu l'apologie telle qu'on me dit qu'elle est insérée dans l'Ami ; mais si j'ai fait une sottise, ce n'est pas encore un crime et vous autres devez me le pardonner. En tout cas, faites ce que vous voudrez ; on ne réussira jamais à me voir ailleurs que dans les rangs dans lesquels j'ai toujours été. Je vous permets de me dire que j'ai fait une sottise et me consolerai de ce que je ne suis pas le seul qui en fait, mais je vous défie de me prouver que j'ai manqué soit à la cause soit à mes amis ».

Duvernay lui pardonnera « sa sottise », ainsi que Perrault et Rodier. Mieux encore, il reçoit une invitation de Jean-Joseph Girouard, notaire et député du comté des Deux-Montagnes, à venir séjourner chez lui.

* * *

Avant de recevoir cette invitation, Girod avait décidé de mettre fin à son engagement politique, de quitter le pays avec Zoé et de gagner le Sud, peut-être la Nouvelle-Orléans. Les deux époux décident de liquider leurs avoirs et se tournent vers leur beau-frère Eugène-Napoléon Duchesnois qui s'en porte acquéreur.

Le 23 septembre, Duchesnois achète un droit de commune à Boucherville, de trois quarts d'arpent de front par vingt-cinq de profondeur, que Zoé avait acquis lors du règlement de la succession de sa mère. Il achète aussi leurs meubles et autres effets mobiliers : ustensiles de cuisine, vaisselle, verrerie, étain et argenterie, bibliothèque de trois cents volumes, armes, guitare, flûte et cahiers à musique ; les instruments aratoires, les animaux : un cheval, une jument et une pouliche, sept vaches et deux génisses, trois cochons ; le foin et le blé récoltés pendant l'été. La double transaction s'élève à 3400 livres, ancien cours, desquelles il faut soustraire 1375 livres que Zoé doit à sa sœur Fanny ; les 2025 livres restantes sont payées par Duchesnois séance tenante[30].

Bien que l'acte notarié ne le précise pas, Duchesnois leur laisse l'entière jouissance de leurs biens, sans compensation. Remarquons que cette transaction exclut la terre et les bâtiments de l'île Sainte-Thérèse qui appartiennent en propre à Zoé; prudence de sa part, si jamais son mari annulait son projet de départ? À moins que son père lui ait signalé que le produit de la vente couvrirait à peine ses dettes envers lui et qu'elle n'avait aucun intérêt à se départir de son patrimoine.

Ces questions matérielles réglées, Girod se rend, en octobre, au village de Grand-Brûlé, chez le notaire Girouard où il rencontre Étienne Chartier, curé de la paroisse Saint-Benoît, et le marchand Jean-Baptiste Dumouchel. Il leur fait part de son amertume et les informe de ses intentions. Ceux-ci lui témoignent leur amitié et leur confiance et tentent de le convaincre d'y renoncer; la cause du Parti patriote requiert ses services et ils lui présentent une offre à la hauteur de ses talents. Les trois hommes ont décidé de fonder un journal local et ont déjà recueilli par souscription la moitié de la somme nécessaire à son lancement; ils lui proposent d'en prendre la direction et l'invitent à leur transmettre un devis pour réaliser leur projet.

Girod demande quelques jours de réflexion et, dès son retour chez lui, à l'île Sainte-Thérèse, il leur expédie par écrit, le 6 novembre, une proposition détaillée[31].

Il expose son dilemme: comment concilier la nécessité pour lui de manger, et pour manger «il faut gagner de l'argent ou cultiver du blé, des patates et des choux» et son intention de ne pas toucher de salaire de rédacteur du journal «tant que les profits nets d'un tel établissement ne le permettent pas». Il pense avoir trouvé une solution.

Il a la possibilité d'acquérir «une imprimerie neuve, presse, caractères, casier, etc., à raison de \$600 ou £150 à cinq ans de crédit, payable en termes», ce qui permettrait la sortie du journal le 1er janvier suivant. Il leur propose d'acheter une terre à Saint-Benoît dont il payerait les intérêts sur le capital pendant cinq ans et rembourserait le capital par la suite. Ce qui réglerait son problème de logement et de nourriture, sans rien devoir à la complaisance de ses amis.

Pour régler celui de la main-d'œuvre « aussi rare et chère qu'un bon gouvernement », il hébergerait cinq ou six « garçons de talent » de quinze à seize ans, de différentes paroisses du comté qui s'engageraient à apprendre « l'agriculture et quelques arts d'industrie, par exemple l'imprimerie », moyennant une pension de dix livres la première année, décroissant jusqu'à deux livres la cinquième année.

Par cette formule, « Jean-Baptiste [Dumouchel] aurait son papier et Jean-Paul [Girod] taillerait les plumes sans y mordre faute de nourriture ».

Girod ne manque pas d'imagination : une école d'agriculture doublée d'une école industrielle et une imprimerie pour publier son journal. Tous ses désirs seraient comblés. Nous ignorons la réaction du trio du Grand-Brûlé : parions qu'ils manifestent un certain scepticisme sur sa faisabilité et qu'ils jugent risqué d'y investir de leurs deniers. Le projet est mort-né et Girod en est quitte à passer l'hiver avec sur son île et à rêver aux pays chauds.

CHAPITRE CINQUIÈME

L'intarissable rédacteur

PENDANT CES TROIS DERNIÈRES ANNÉES, les activités politiques de Girod ne l'ont pas empêché de prendre la plume, au contraire. De janvier 1834 à mars 1837, il noircit des centaines de feuilles où il aborde les sujets les plus variés, en profondeur ou de façon superficielle, sur un ton sérieux ou désinvolte. L'importance et la valeur de ses textes demeurent inégales. Entre un article d'une colonne dans un journal et une brochure de plusieurs dizaines de pages, nous trouvons de tout.

Pour présenter sa production littéraire, nous avons écarté l'ordre chronologique qui risquait de mêler l'essentiel au secondaire et, dans une certaine mesure, de fausser notre perception. Un regroupement par thème posait des difficultés de définition des catégories et de rattachement des textes. Nous avons retenu une approche par genre : les articles politiques, les traductions d'ouvrages et les essais.

Avant de les présenter, nous examinerons sa contribution à la diffusion au Bas-Canada des *Paroles d'un croyant* de l'abbé de Lamennais.

Philosophe et essayiste, l'abbé de Lamennais[1] a fondé à Paris, en 1830, avec le dominicain Lacordaire[2] et le journaliste de Montalembert[3], le journal *L'Avenir* qui prône un catholicisme libéral ouvert aux principes démocratiques, aux droits individuels et collectifs, à la séparation de l'Église et de l'État. Ces thèses progressistes ont trouvé rapidement un accueil favorable chez les réformistes du Parti patriote qui s'appuient sur elles pour critiquer l'ordre établi au Bas-Canada et promouvoir leur cause.

Le haut clergé, en revanche, s'inquiète de l'influence de ces idées qui menacent son autorité et son pouvoir temporel. Il pousse un soupir de soulagement lorsque Grégoire XVI condamne la pensée de *L'Avenir* en 1832. En 1834, Lamennais réplique par son essai *Paroles d'un croyant*, immédiatement dénoncé par le pape dans l'encyclique *Singulari Vos*.

S'appuyant sur le message évangélique, avec un style qui rappelle la Bible, l'auteur formule des énoncés percutants et faciles à mémoriser. Il prêche une démocratie fondée sur l'égalité et la fraternité et lance un appel à la révolte contre les tyrans et les despotes qui bâillonnent la liberté, avec la complicité des prêtres. Quelques citations illustrent bien son discours.

> Les rois et les princes, et tous ceux que le monde appelle grands, ont été maudits.
>
> Ils sont forts contre vous parce que vous n'êtes point unis.
>
> Tous naissent égaux ; nul, en venant au monde, n'apporte avec lui le droit de commander.
>
> Tenez vous prêts, car les temps approchent. Les rois hurleront sur leurs trônes ; ils chercheront à retenir avec leurs deux mains leurs couronnes emportées par les vents, et ils seront balayés avec elles[4].

Dans la foulée de l'adoption des *92 Résolutions*, les *Paroles d'un croyant* trouvent un terrain fertile au sein du Parti patriote et chez les orateurs radicaux des assemblées publiques qui dénoncent le pouvoir autocratique et l'alliance du trône et de l'autel. Dès le 18 juillet 1834, *Le Canadien* d'Étienne Parent avait publié de longs extraits de l'essai ; les premiers exemplaires de l'ouvrage mis en vente durant l'automne 1834 et l'hiver 1835 dans les librairies de Montréal et de Québec trouvent vite preneurs. L'offre ne répond plus à la demande.

L'idée de publier une édition canadienne chemine et une édition pirate sort des presses de *La Minerve* au début de 1836. Elle connaîtra huit tirages ; le directeur du journal, Ludger Duvernay, en vendra 3000 exemplaires[5]. La Chambre d'assemblée en commande 24 pour la bibliothèque parlementaire, à l'intention des députés[6].

C'est Girod qui a organisé une collecte de fonds pour couvrir les frais. Monseigneur Lartigue, évêque de Montréal, transmet son indignation, le 26 janvier 1836, à son homologue de Québec

> [...] Quant aux *Paroles d'un croyant*, il n'est pas surprenant que le Protestant Girod cherche à faire imprimer ce livre par souscription ; ce n'est pour lui qu'un *modus vivendi* dans son état de misère ; mais que des catholiques ici se prêtent à cette rébellion contre l'Église, c'est ce qu'on ne saurait assez déplorer [...][7].

Dans une autre lettre en date du 10 mars, il recommande la prudence : « Je ne suis point d'avis qu'on ait l'air, pour le moment, de s'apercevoir d'une nouvelle édition des *Paroles d'un croyant*, si elle a lieu à Montréal[8]. »

Que Girod trouve dans cette opération une source de revenus paraît fondé, bien qu'aucune preuve ne vienne confirmer les allégations de monseigneur de Montréal. Sa précarité financière l'incite sûrement à faire d'une pierre deux coups : la diffusion des valeurs républicaines et une entrée de fonds.

Ses articles de journaliste indépendant ne contribuent guère, sinon pas du tout, à combler ses besoins de numéraire. Écrire pour lui répond à une exigence compulsive.

* * *

Les articles qu'il publie portent sur des considérations à caractère politique, tout en prenant des formes diverses.

Ainsi, dans une « Pétition de Jean Paul, laboureur, à l'Honorable Chambre d'assemblée du Bas-Canada[9] », Girod s'annonce comme le porte-parole des habitants de Varennes. Il dénonce l'absence, depuis deux ans, de juges de paix « pour maintenir le bon ordre, non parmi les habitans, mais parmi les messieurs étrangers » qui viennent de Montréal « parcourir le village, criant, hurlant comme des personnes ivres ». Ces messieurs viennent prendre les eaux à l'hôtel des Sources au lieu-dit « La Saline » et, pour meubler leurs loisirs, s'amusent aux dépens de la paisible population du village.

Autre sujet de mécontentement, les citoyens avaient désigné deux commissaires des petites causes « dans l'honnêteté et l'intégrité desquels ils avaient la plus grande confiance » : un notaire, sans doute Édouard Beaudry, et un médecin, sans doute Eugène-Napoléon Duchesnois. Ils ont été écartés au profit d'une autre personne, notaire et marchand, Alexis Pinet de toute évidence, sans tenir compte des choix du peuple.

La « Pétition » aborde les difficultés qu'éprouvent les enfants des cultivateurs, « jeunes gens robustes et laborieux », pour s'établir sur de nouvelles terres, faute de concessions disponibles dans les seigneuries et face aux prix exorbitants demandés pour celles de la Couronne. Les habitants se plaignent aussi, affirme Jean Paul, de l'insécurité chronique à Montréal qui les décourage de se rendre au marché pour écouler leurs produits.

À première vue sincère et bien intentionnée, la requête de Girod porte des germes de discorde. Saisir directement la Chambre d'assemblée ne peut que susciter une irritation chez les deux représentants du comté de Verchères, les seuls porte-parole élus. Pourquoi n'a-t-il pas emprunté la filière du Parti patriote en s'adressant au comité de paroisse dont il est secrétaire ? Girod, on l'a vu, on le verra, manque parfois de flair et de perspicacité.

Les «Lettres de Jean-Paul laboureur à cousin Jacques[10]», que Girod publie à Québec, en mars 1835, s'inscrivent dans une démarche didactique. Il adopte un ton familier, tutoiement compris, et paternaliste pour expliquer au lecteur le fonctionnement des institutions politiques du Bas-Canada et en faire la critique. L'étude de l'Acte constitutionnel de 1791 lui sert de prétexte pour dénoncer la composition et le rôle du Conseil législatif qu'il qualifie de «joujou inutile et comme on le voit par l'histoire du pays également coûteux et dangereux». Pour ne pas aller à l'encontre de la position officielle du Parti patriote, il s'empresse d'ajouter : «Mais comme on prétend qu'il en faut un, passe ! Seulement qu'on le fasse émaner de ceux qui sont le plus intéressés à ce que justice soit rendue à l'administration et la représentation du *peuple*, c'est à dire qu'on rende le Conseil électif.»

Cette tentative de vulgarisation, malgré ses comparaisons simplistes avec les préoccupations quotidiennes des habitants, n'est pas sans intérêt. Girod ne publie que deux lettres, sans aborder ni la Chambre d'assemblée ni le Conseil exécutif, ce qui nous aurait éclairés sur sa perception du fonctionnement de l'ensemble des institutions de l'État.

Dans un autre écrit intitulé «Pièce diplomatique», il présente un document «en apparence perdu sur la glace qui en débaclant l'a jeté dans [son] jardin[11]». Facétie où il imagine un «Mathurin, grand seigneur voyageant peut-être dans nos parages» écrivant à son «camarade et ami», le gouverneur général, pour lui conseiller de ne pas se préoccuper du comportement des «fâcheux» de la Chambre d'assemblée : «ce sont des mauvais sujets». Il ajoute : «Si vous suivez mon conseil et vous moquez du peuple et de son assemblée, vous ne risquez rien, tant que le très honorable là bas [le premier ministre anglais] est avec vous et se charge d'endoctriner le seul tribunal de l'empire [la Chambre des communes] qui puisse nous juger. » Pour finalement conclure : « La seule chose que vous devez éviter, c'est de plaire au peuple, de le rendre heureux et satisfait. »

Bon. Un peu lourd, l'humour de Girod. Reste que le thème révèle sous sa main un souci de dénoncer le cynisme des grands, leur mépris du peuple, leur talent de manipulateur et de profiteur.

Nous retrouvons ce thème dans son « Traité des éléphans et des mouches » où il publie, encore à l'intention de « cousin Jacques », ses réflexions sur les banques et sur la spéculation dans les terres de la Couronne[12]. « Les banques à chartes ont des privilèges qui ne s'accordent pas trop avec les intérêts et même la sûreté du public », affirme-t-il d'emblée, avant de s'engager dans une démonstration laborieuse sur les profits sans risque que retirent les actionnaires de leurs investissements. Petite attaque contre les députés : « [...] de quel droit nos gens à nous que nous avons envoyés à la Chambre d'Assemblée ont-ils pu disposer de notre bien et de celui de nos enfans, sans que nous nous en doutions ? »

Sur la « compagnie des terres », c'est-à-dire la British American Land, son verdict tombe : « Notre législature doit déclarer solennellement que cette compagnie n'a aucun droit de vendre des terres, parce que celui [le Parlement de Londres] qui les lui a vendues n'en était pas le légitime propriétaire, et que si elle ne veut pas lâcher sa proie de bon gré, elle le fera de force, ainsi que ceux qui achèteront d'elle. »

Diable ! Cela ressemble à un appel à la révolte. *L'Écho du Pays* ne publiera pas la suite annoncée, « sur les abus dans nos seigneuries » comme il n'a pas publié la suite des « Lettres à cousin Jacques ». Il n'y a qu'un pas à franchir pour conclure que le parrain du journal, le conseiller législatif Pierre-Dominique Debartzch, n'apprécie guère la prose de Girod qu'il censure et dont aucun texte ne paraîtra par la suite ; il mettra d'ailleurs la clé dans la porte et *L'Écho du Pays* cessera de paraître en mai 1836.

Le « Traité des éléphans et des mouches » était en fait destiné à un autre journal, *La Pandore*. En septembre 1835, Girod s'était engagé dans une aventure aussi fantaisiste qu'ambitieuse et sans avenir : publier un mensuel entièrement rédigé et reproduit à la main.

On sait que Pandore, épouse d'Épiméthée et belle-sœur de Prométhée, avait ouvert le coffret où Zeus conservait les misères humaines ; par sa faute, Pandore répandit le Mal chez les terriens. Curieux titre pour un journal. Ouvrir la boîte de Pandore révèle des intentions, peut-être pas cyniques, sûrement malicieuses. Dans *La Minerve*, on — vraisemblablement Ludger Duvernay — salue sur un ton moqueur et affectueux la parution de *La Pandore*, produit de la « paragraphomanie » de « notre ami Girod[13] ».

La Pandore se définit comme un « Journal manuscrit, politique, littéraire, philosophique, économique et de cagoterie », avec en exergue :

> N'saut' point z à demi
> Paillasse, mon ami
> Saute pour tout le monde.

Paillasse, ce bouffon que popularisera Leoncavallo, dans son opéra en 1892 ! Girod annonce dans son prospectus que *La Pandore* sera publiée « de tems à autre selon les caprices du rédacteur ». Il précise que « convaincu que le tems moderne ne vaut rien, [il] veut se rapprocher du bon vieux tems, où le monde s'amusait à brûler comme hérétique, ou à égorger comme catholique, à écarteler comme traître, à pendre comme un chien celui qui ne pensait pas comme lui, c'est à dire les grands hommes au pouvoir, qui de par droit divin se moquaient de la vérité ».

Son objectif « autant que faisable sera d'écrire comme nos nouveaux amis, loyaux du Tattershall[14], réunis en association constitutionnelle». Le domaine religieux occupera une place spéciale: «En matière de cagoterie, nous excellerons. Nous irons à l'église pour nous procurer des places, une pension, une femme, des aumônes: nous prêcherons l'évangile en public, n'y croyant pas chez nous.»

Si par malheur les lecteurs lui font défaut, il se permettra «d'haïr de tout notre cœur le Dr. O'Callaghan [le directeur du *Vindicator*] et l'éditeur de *La Minerve* [Ludger Duvernay], voire même notre ancien ami du *Canadien* [Étienne Parent] et l'ex-abbé de *L'Écho* [Jean-Philippe Boucher-Belleville]».

Des sept numéros de *La Pandore*, seule une partie parviendra jusqu'à nous grâce à *L'Écho du Pays* et à *La Minerve* qui en reproduisent des extraits[15]. Son style incisif et mordant colore ses analyses, mais son humour grinçant affaiblit à l'occasion ses diatribes. Maniant l'ironie et la litote, Girod décrit les méfaits du gouverneur et des Bureaucrates, dénonce les manœuvres des puissants et déplore les malheurs du peuple canadien. Des événements à l'étranger, Allemagne, Espagne, Mexique et Jamaïque, viennent étayer ses attaques contre l'oppression des grands.

Au nouveau gouverneur Gosford, il reproche de fréquenter «le chef révolutionnaire M. Papineau, avec M. Viger, l'ambassadeur, [qu'il] reçoit dans son château de St-Louis». Devant le danger qu'il subisse leur néfaste influence, Girod lui rappelle qui sont les vrais sujets de Sa Majesté:

> Nous gens loyaux, banquiers, marchands en gros, marchands en détail, marchands fripiers, hommes surchargés de places lucratives à la réalité mais pourtant onéreuses parce qu'on doit au moins avoir l'air de travailler; nous devons être intéressés dans ce pays, nous seuls avons le droit de recevoir, pendant que le peuple devrait se féliciter de n'avoir qu'à nous payer au lieu qu'en Turquie et en Russie nos confrères emploient le petit avantage, celui de donner ou faire donner la bastonnade, la schlague et le knout.

Parmi ses têtes de Turc, Girod retient trois conseillers législatifs, sans les nommer, mais faciles à identifier : « l'honorable président de la société allemande », c'est bien sûr Louis Gugy, président de la German Society ; « G.M. », George Moffat, président de la St. George's Society ; « P.M.G. », Peter McGill, président de la St. Andrew's Society et président de la Banque de Montréal.

Nous ignorons le tirage de *La Pandore*. Quant aux copistes, retenons son épouse Zoé qui doit s'ennuyer, seule sur son île. Écartons Fanny Ainsse qui, avec trois jeunes enfants et enceinte d'un quatrième, n'a pas de loisirs à consacrer aux fantaisies de son beau-frère. Ajoutons, peut-être, un jeune clerc de vingt-quatre ans, Azarie Archambault, futur secrétaire du comité des Patriotes de Varennes, qui manie pour l'instant la plume d'oie dans l'étude du notaire Édouard Beaudry.

Une telle entreprise ne peut durer très longtemps. Girod publie trois numéros en septembre, octobre et novembre, puis annonce que son « journal [...] faute de lecteurs et de payeurs est décédé d'une mort naturelle[16] ». Quatre autres numéros sortiront néanmoins en janvier, février, mars et avril 1836 ; puis on n'entendra plus parler de *La Pandore*.

Un autre journaliste d'origine suisse, natif du canton de Genève, prendra la relève, avec plus de succès. Napoléon Aubin, immigré en 1835, publiera à Québec, d'août 1837 à février 1849, *Le Fantasque*, journal humoristique, d'esprit libéral et patriotique. Le ton rappelle celui de *La Pandore*, tel ce passage qui salue l'arrivée de lord Durham, en mai 1838 :

> Maintes personnes qu'on ne s'attendait nullement à y voir s'empressèrent d'aller saluer le nouvel astre, dont les rayons réchaufferont peut-être des germes de loyauté presque glacés par le rude hiver que nous venons de traverser. On dit que c'était réellement le lever du soleil[17].

Du journaliste, passons au traducteur.

* * *

Girod entreprend, en août 1834, de publier dans *Le Canadien* une «Libre traduction à l'usage des habitans du Bas-Canada» de l'ouvrage de William Cobbett qu'il intitule: «Économie de la chaumière[18]».

Journaliste, libraire et politicien, Cobbett, né en 1763 à Farnham, dans le Surrey, meurt le 18 juin 1835 à Guilford, autre localité de ce comté. Il dénonça toute sa vie la misère et le chômage; élu à la Chambre des communes en 1832, il devint le chef de file des radicaux anglais. Il est l'auteur d'une monumentale histoire du parlementarisme anglais en 36 volumes publiés de 1808 à 1823: *Parliamentary History of England, from the Normand Conquest in 1066 to the year 1803.* La bibliothèque de la Chambre d'assemblée en a fait l'acquisition au fur et à mesure de sa parution[19].

Girod, qui signe sans vergogne «Jean Paul, laboureur, traducteur de Cobbett», ne poursuivra pas la publication au-delà de l'introduction. Loin d'être une traduction, même libre, la version de Girod est une adaptation de la brochure à l'intention de lecteurs canadiens. Certes, plusieurs paragraphes portent la marque de Cobbett et la traduction semble fidèle au texte original. Mais Girod intercale ici et là des paragraphes de son cru sur la réalité canadienne avec des exemples à l'appui et des critiques sur les politiques coloniales. Bien qu'un lecteur attentif puisse sans difficulté identifier la paternité d'un passage, le procédé reste équivoque.

L'année suivante, durant l'été 1836, alors en attente de son procès avec Sabrevois de Bleury, Girod s'attaque à la traduction de *A Treatise on the Theory and Practice of Agriculture*, ouvrage de William Evans publié à Montréal en 1835. Evans naquit à Galway, en Irlande, en 1786; émigré au Bas-Canada en 1819, il s'est établi comme agriculteur à la Côte-Saint-Paul où il mourra en 1857. Auteur de nombreux articles dans les journaux pour promouvoir la modernisation des méthodes de travail et l'introduction de nouvelles techniques, il occupe le poste de secrétaire de la Société d'agriculture de Montréal[20].

Dès novembre 1835, Charles-Ovide Perrault, député de Vaudreuil, attira l'attention des membres du Comité d'agriculture de la Chambre d'assemblée sur la qualité du traité et l'avantage à en publier une version française[21]. Il présenta un projet de loi à cet effet qui, approuvé par les deux chambres législatives, reçut la sanction du gouverneur le 21 mars 1836[22]. Cet «Acte pour aider à l'impression en langue française du traité d'agriculture de William Evans» prévoyait le versement d'une somme de 215 livres pour la traduction du livre et l'impression de 1000 exemplaires.

Le député Perrault pilote le dossier et obtient l'accord d'Evans pour confier la traduction à Girod. Le contrat d'édition est donné à son frère Louis Perrault, propriétaire des presses qui impriment le *Vindicator*. Le volume de 325 pages paraît au début de 1837.

William Évans aborde dans la première partie l'histoire de l'agriculture chez les nations anciennes et modernes; la section sur la Suisse porte surtout sur l'œuvre de Fellenberg et son établissement d'Hofwil si cher à Girod. Les parties deux et trois traitent des sciences agricoles et des techniques pour les mettre en application. La quatrième partie couvre la culture des céréales et des grains, des légumes et des plantes, et la cinquième, l'élevage des animaux. De nombreux tableaux parsèment l'ouvrage; des gravures, insérées hors texte, présentent les divers types et modèles d'instruments agricoles, tels charrues, herses et semoirs, et les principales races bovines et ovines.

Le traducteur, n'en doutons point, possède les compétences requises pour fournir un travail de première qualité. Que Perrault ait pensé à lui pour remplir cette commande, avec la rémunération qui l'accompagne, révèle de nouveau que Girod conserve l'estime et la confiance de ses amis, malgré ses maladresses.

Journaliste, traducteur, Girod exerce durant cette même période de trois ans ses talents d'essayiste.

* * *

Il entame, en mai 1834, dans *Le Canadien,* une série d'articles intitulée « Conversations sur l'agriculture à l'usage des habi-tans[23] » et qu'il signe « Un habitant de Varennes ». En exergue, il cite Seilly : « Les dons de la terre sont les seuls biens inépui-sables, et tout fleurit dans un état où fleurit l'Agriculture. » Seilly ? Malheureuse coquille typographique ; il s'agit bien sûr de Sully, le brillant et efficace ministre d'Henri IV, aussi, sinon mieux, connu par cette autre maxime que des générations d'écoliers français ont apprise par cœur : « Labourage et pâturage sont les deux mamelles dont la France est ali-mentée. »

Un court avant-propos précise son intention : « Simplifier et abréger ces ouvrages savants [qui traitent des principes de l'agriculture] pour en faire une instruction facile et à la por-tée des laboureurs. » Les « Conversations », au nombre de neuf, se présentent sous la forme de questions et de réponses, procédé alors utilisé pour favoriser une lecture à voix haute à l'intention des illettrés. Le style direct et vivant dénote un souci pédagogique ; le vocabulaire précis, parfois technique, s'adresse à un public concerné ; des explications détaillées éclairent certains termes ou expressions.

Girod aborde au départ les différentes sortes de terres, leurs qualités et leurs défauts, et les moyens de les améliorer par l'usage des engrais. Il explique par la suite le principe des assolements où l'alternance des cultures rend inutiles les jachères improductives et coûteuses ; il présente les techni-ques de labourage, variables selon la température du jour et la nature du sol. La cinquième conversation traite du « gou-vernement des bestiaux », c'est-à-dire de leur nourriture, de leur soin, de leur habitat et de l'élevage des petits ; puis, il s'attarde aux moutons, chèvres, cochons et volaille. Il insiste sur l'importance des « prairies artificielles », ensemencées avec la luzerne, le trèfle et le sainfoin, pour nourrir les bestiaux et préparer la terre à la culture des graminées. Il consacre sa dernière leçon aux abeilles « à la portée du plus pauvre comme du plus riche » et cite en exemple les éleveurs de Boucherville. En guise de conclusion, il présente un tableau comparatif sur les revenus et dépenses de deux terres semblables, l'une administrée suivant les méthodes traditionnelles et l'autre, selon les principes qu'il met de l'avant. La preuve par a plus b de la rentabilité de son système.

Quelques mois plus tard, Girod réunira ses articles dans une brochure de 56 pages imprimée à Québec et « Respectueusement dédiée à Joseph-François Perrault, le père de l'éducation populaire au Canada ». Nous pouvons voir là un beau geste de gratitude envers celui qui l'a accueilli et lui a accordé sa confiance deux ans auparavant.

Durant l'été et l'automne 1834, Girod rédige ce qui constitue, à notre avis, son œuvre principale, la meilleure et la plus soignée. Les deux volumes de ses *Notes diverses sur le Bas-Canada* sortiront en mai et juin 1835 des presses de l'imprimerie de Jean-Philippe Boucher-Belleville, à Saint-Charles, avec un tirage de cinq cents exemplaires. L'ouvrage mérite notre attention.

L'auteur, qui signe « Amury Girod, cultivateur de Varennes », dédicace son livre « Au Très Honorable Secrétaire d'État du Département des Colonies Britanniques, Aux défenseurs des libertés populaires dans les Communes de la Grande-Bretagne et particulièrement à Daniel O'Connell, Joseph Hume et Arthur Roebuck ». L'Irlandais O'Connell et les Anglais Hume et Roebuck, députés à la Chambre des communes et porte-parole de la Chambre d'assemblée du Bas-Canada, interviennent régulièrement pour présenter et défendre les positions du Parti patriote.

Dans la préface datée du 10 août 1834, Girod s'adresse directement au ministre et aux trois députés :

> Tout en implorant les amis du sens commun et de la justice dans le Parlement de la Grande-Bretagne, de continuer leurs efforts en faveur de ce malheureux pays, je sollicite le Ministère de se méfier des rapports qui lui parviennent de personnes résidant en Canada et intéressées au maintien des abus, sous le titre spécieux de maintien de l'Ordre existant[24].

Puis, il estime préférable d'expliquer les motifs qui l'ont conduit, lui un étranger « citoyen en ce pays en vertu de ma résidence », à intervenir dans les affaires politiques canadiennes :

> Les hommes et les corps publics dont j'expose ici les méfaits, vous diront que je suis un étranger, devenu chaud partisan d'une faction. [...] J'ai vécu plusieurs années en Canada avant de prendre un parti politique, et ce n'est qu'après avoir observé par moi-même, après avoir discuté et examiné les objets d'une importance générale avec les hommes les plus éclairés et les plus respectables des deux partis, que j'ai embrassé le mien en connaissance de cause.

Le volume I, de 63 pages, comporte quatre chapitres.

Le premier, intitulé « Introduction », présente l'histoire du Canada, sa géographie et sa démographie. Il intercale dans le texte des tableaux compilés à partir des données du recensement de 1831 : l'un sur la population dans chacun des 88 comtés : un second sur les caractéristiques de la population selon le sexe, l'âge, la religion et l'origine nationale ; un troisième sur la surface cultivée par rapport à la surface totale des terres situées dans les seigneuries et les cantons. Il décrit l'ordre constitutionnel mis en place en 1792, avec les deux branches législatives, la Chambre d'assemblée et le Conseil législatif.

Le chapitre deux, « De la vie sociale », ne couvre que trois pages. Titre trompeur, parce qu'en fait Girod tente de présenter les caractères des principaux groupes nationaux de la population. Les Canadiens se partagent, selon lui, entre ceux de l'ancienne école et ceux de la nouvelle.

> Les premiers ont toute l'urbanité et les aimables qualités de leurs pères du siècle de Louis XIV. [...] On y observe cette pureté des mœurs, cette stricte honnêteté, cet honneur réel, cette véritable hospitalité et cette bonne humeur, que sur le continent de l'Europe, en Angleterre et dans les villes des États voisins nous ne connaissons malheureusement que dans les livres. [...] Les Canadiens de la nouvelle école sont une gent entièrement différente : vifs, cherchant l'instruction, un peu têtes chaudes, un peu moins polis, mais plus francs, méprisant tous ces petits riens qui rendaient la société des salons si charmante. [...] Je n'ai jamais rencontré d'hommes plus disposés à se soumettre à la justice et à la raison ; ni personnes plus résolues à résister à l'oppression et à l'arrogance des *maîtres*[25].

Les Anglais ? À l'exception du gouverneur, de ses ministres, des juges et de leurs flatteurs qu'il vilipende, Girod se contente de citer Dante pour qualifier la plus grande partie de la population anglaise : « Non raggionam di loro, pero guarda e passa[26]. », citation qu'il s'empresse de traduire : « N'en parlons pas, mais regarde-les et va ton chemin. »

Les Écossais, qu'il n'aime pas, précise-t-il, sont durs, hautains et égoïstes ; ils ont des manières froides et déplaisantes. Il reconnaît néanmoins qu'ils sont « instruits, actifs et industrieux ». Les Irlandais, malgré leurs défauts, sont braves, intrépides, ont beaucoup d'esprit, et Girod ne peut s'empêcher « d'admirer leur bonne humeur et leur esprit jusque dans leurs folies[27] ».

Le troisième chapitre porte sur l'administration de la justice. Après un historique du système judiciaire depuis la conquête, le texte critique sévèrement le fonctionnement des tribunaux. Il dénonce l'absence de cloisonnement entre les pouvoirs législatif, exécutif et judiciaire, la partialité des juges et leur complicité avec les procureurs de la Couronne, les interventions abusives d'officiers de l'administration publique dans le déroulement des procès. On sait que lord Durham, quatre ans plus tard, formulera un diagnostic similaire dans son célèbre rapport.

Il s'en prend aux seigneurs qui abusent aussi de leurs pouvoirs : « L'existence des droits seigneuriaux n'est pas non plus en harmonie avec l'esprit du temps et les intérêts de la société. » Il ajoute cependant un bémol : « Mais les neuf dixièmes des Canadiens qui renonceraient volontiers à cette institution ne voudraient pas renoncer aux lois de leurs pères pour être régis selon des lois dont la justice et l'équité ne leur sont pas trop prouvées[28]. »

Dans le quatrième chapitre, « Des causes célèbres », Girod aborde quelques cas historiques, dont celui de David McLane exécuté publiquement en 1796 pour haute trahison et celui des officiers responsables de la fusillade sanglante de mai 1832 à Montréal et exonérés de tout blâme.

Le volume II, de 65 pages, ajoute trois chapitres.

Le cinquième porte sur l'administration des finances publiques dont Girod tente de démontrer les faiblesses et les iniquités. Les méthodes de perception des taxes, droits de douane et des autres revenus vont à l'encontre d'une saine gestion de l'État et des intérêts du peuple. Les dépenses, que la Chambre d'assemblée ne contrôle que dans une faible partie, contribuent à payer des salaires aux hommes au pouvoir, à leurs parents et amis, dont certains cumulent les fonctions ou occupent des postes inutiles. « Le cumul, le népotisme et les sinécures [...] sont le cancer des sociétés, qui a rongé celle des Canadas depuis son existence ou quasi-inexistence politique[29]. » Girod présente trente et un exemples, dont sept consacrés à Jonathan Sewell, président du Conseil législatif et juge en chef du Bas-Canada, à ses cinq fils fonctionnaires et à son beau-frère William Smith, membre du Conseil exécutif et juge à la Cour d'appel. Dans chaque cas, il indique les salaire, prime, commission et pension versés par l'État.

Le chapitre six, « Des terres nationales », aborde l'épineux problème des terres de la Couronne qui s'étendent dans l'arrière-pays, aux limites des seigneuries. Les autorités coloniales ont découpé dans ce territoire des *townships,* ou cantons, de forme géométrique, de 10 milles de côté ; plusieurs ont été achetés, en totalité ou en partie, par des spéculateurs d'origine britannique. Un canton est subdivisé en quelque 300 lots rectangulaires disposés en damier et destinés à d'éventuels colons, sauf un septième réservé à la Couronne et un autre septième alloué au clergé anglican. En 1833, la Couronne a vendu la quasi-totalité de ses réserves à la British American Land pour attirer les émigrants anglais.

Avant 1763, rappelle Girod, le domaine public appartenait au roi de France ; comme il n'existe pas de domaine royal en Angleterre, la juridiction sur les terres non concédées appartient au Parlement et, selon son argumentation, depuis l'Acte constitutionnel de 1791, ce Parlement est celui de Québec et non pas celui de Londres. À partir de ces considérations juridiques, Girod juge illégale la vente à la British American Land, des terres de la Couronne, sans l'approbation de la Chambre d'assemblée du Bas-Canada. Il développe ensuite une longue analyse sur le comportement des spéculateurs qui laissent à l'abandon leurs terres dans les cantons ou les offrent à des prix exorbitants ; un tableau de la situation à partir des données du recensement de 1831 révèle que les deux tiers des terres arpentées demeurent en friche.

Le dernier chapitre porte sur les « tenures et les communications intérieures ». D'entrée de jeu, Girod écrit : « Il n'y a pas de sujet, dont je me sois occupé avec plus de méfiance que celui-ci. » Entre la tenure d'origine féodale et la tenure en propriété pleine et entière, lui-même favoriserait cette dernière ; compte tenu des intérêts du peuple canadien, il s'affiche « contre la tenure *soccagère*, sans pourtant vouloir justifier les vices et abus de la tenure féodale[30] ». Suit un développement où il ressort que la tenure seigneuriale, malgré son origine, permet aux censitaires de jouir en toute propriété de leurs terres, de les exploiter librement et de les vendre éventuellement. En revanche, de nombreux seigneurs leur imposent des obligations qu'ils ne peuvent remplir, avec la complicité de l'administration coloniale et des tribunaux qui ferment les yeux sur l'absence de respect des lois héritées de la France et toujours en vigueur. Girod conclut :

> Si la législature du Bas-Canada désire conserver à ce pays ses institutions, [...] elle n'a pas d'autre route à suivre : qu'elle abolisse les droits seigneuriaux, et leur substitue en faveur de la masse des habitants nés en ce pays et des émigrés venant au milieu de nous s'établir, cette institution de franc-alleu qui est en harmonie avec les lois dont la continuation a été garantie au peuple[31].

Son exposé sur les communications intérieures concerne les terres des cantons où de nombreux obstacles, outre les prix, découragent l'installation du Canadien et de l'émigré irlandais : juridiction du droit civil anglais et non pas du droit français, absence de paroisses catholiques, chemins et ponts en mauvais état lorsqu'ils existent, etc. Ce chapitre clôt l'ouvrage de 128 pages.

Les *Notes diverses sur le Canada* représentent une description remarquable de la situation politique, économique et sociale du pays. Girod décrit avec exactitude la réalité, en indiquant ses sources, rigueur rare à l'époque ; les sujets qu'il aborde révèlent à la fois un souci de précision et un désir de convaincre. Son approche partisane, dont il ne se cache pas, le porte à insister sur les maladresses et les malversations des autorités de la colonie et leurs alliés qu'il dénonce avec vigueur.

Pour rédiger son livre, il a dépouillé les quarante-deux volumes du *Journal de la Chambre d'assemblée du Bas-Canada*, étudié les comptes publics, scruté les archives judiciaires, analysé le recensement de 1831 et lu plusieurs auteurs anglais et français qui ont livré leurs commentaires sur le Canada. Ses recherches ont dû exiger un nombre considérable d'heures de consultation, de transcription et de compilation. Il est probable et même certain qu'il a bénéficié des conseils d'Étienne Parent qui, parallèlement à la direction du *Canadien*, occupait le poste de responsable de la bibliothèque de la Chambre d'assemblée pendant ces années, de 1833 à 1835.

Girod avait annoncé que les *Notes diverses* totaliseraient entre 500 et 600 pages[32]. Il est regrettable que, malgré son intention, il n'ait pu mener à terme son projet. Des chapitres sur l'instruction publique, les prisons, les services de santé, entre autres, auraient complété avec bonheur son étude. Est-ce dû à son engagement croissant dans le Parti patriote, à l'élection générale de l'automne 1834 et à la préparation des dossiers pour ses témoignages devant les commissions parlementaires? Ou aux exigences de l'imprimeur qui doutait des capacités de l'auteur à payer une facture plus élevée? Retenons les deux explications

* * *

Il attend trois ans avant de produire une nouvelle étude, ses «Lettres seigneuriales à Agricola», signées Jean-Paul.

Qui est cet Agricola? Cyrille-Hector-Octave Côté, député de L'Acadie. Côté, né à Québec en 1809, a entrepris à Montréal des études médicales qu'il a terminées à l'Université du Vermont, à Burlington. Après une année passée à L'Acadie, il s'établit à Napierville. Député depuis 1834, disciple de

Rousseau et de Voltaire, ses idées nourrissent l'aile radicale du Parti patriote ; nous le retrouverons parmi ses principaux orateurs en 1837. Exilé aux États-Unis une première fois en 1838, lui et Robert Nelson rompront avec Papineau et prendront le contrôle du mouvement patriote auquel ils donneront une orientation nettement républicaine. Côté s'exilera de nouveau en 1839, se convertira au protestantisme, reviendra au Bas-Canada pour prêcher dans les villages de la vallée du Richelieu. Il mourra en 1850 à Hinesburg, dans le Vermont, au cours d'un voyage[33].

Côté publie dans *La Minerve*, entre le 26 décembre 1836 et le 9 mars 1837, une série de lettres qui attaquent avec violence le régime seigneurial. Girod lui réplique par ses « Lettres seigneuriales » dans le même journal, du 9 février au 30 mars 1837. L'historien Allan Greer résume avec intelligence la polémique entre Côté et Girod ; il souligne que le premier rompt l'entente tacite des Patriotes de ne pas débattre en public les sujets controversés pour ne pas nuire à la cause et suggère que le second a reçu la mission de présenter la position modérée et dominante du parti.

Quelques passages du livre de Greer permettront de saisir l'essentiel des arguments de Côté.

> Les lettres d'« Agricola » débutent par d'inspirantes citations tirées des plus belles pages de la révolution américaine et condamnant le privilège sous toutes ses formes. Le temps est venu, annonce-t-il, de reconnaître que les éléments seigneuriaux de la loi canadienne-française sont fondamentalement injustes, aristocratiques et antidémocratiques : « Les privilèges exclusifs accordés aux seigneurs dans ce pays-ci [sont] incompatibles avec la liberté et les droits naturels de l'homme, [...] ces privilèges exclusifs ne pouvaient qu'enfanter le monopole et traîner à sa suite l'oppression et la dégradation du peuple. » Ce langage républicain domine dans toutes les lettres, avec ses préoccupations politico-morales, sa tendance à opposer les droits et les libertés aux monopoles et aux privilèges.

Dans ce discours [de Côté], l'« exploitation » et les entraves mises à l'entreprise sont condamnées surtout parce qu'elles restent inséparables de l'« injustice », de l'« oppression » et de la « tyrannie ». Aux yeux de Côté, ces maux découlent forcément des privilèges seigneuriaux inscrits dans le droit civil canadien-français.

[Côté] ne supporte pas l'idée des réformes, quelle qu'en soit l'étendue. « Le vice est dans le système même, écrit son Agricola, par conséquent le remède doit être radical. Il doit frapper le mal à sa racine et l'extirper. » [...] Même s'il ne s'en explique pas clairement, Côté vise manifestement l'extinction pure et simple des droits seigneuriaux, une solution radicale qui coupe court aux discussions compliquées sur la commutation et la réforme[34].

Ce point de vue extrême ne peut que soulever des vagues et que Louis-Joseph Papineau, seigneur de la Petite-Nation, ait demandé à Girod de répliquer paraît plausible.

Celui-ci, qui fréquente Côté dans les réunions du Comité central et permanent du Parti patriote, amorce familièrement sa riposte par un « Mon cher Agricola, Tu viens de nous faire un tableau de la tenure féodale[35] » et poursuit en expliquant combien il fut déconcerté à son arrivée au Bas-Canada de découvrir l'existence d'institutions féodales qu'un peuple ignorant et docile semblait accepter. Comme les autres étrangers, dont les Français, sa première réaction a été de fréquenter les maîtres du pays, c'est-à-dire les Anglais plutôt que le peuple canadien. Mais il a appris à aimer les Canadiens et à comprendre pourquoi ils tenaient à leurs institutions et à leurs lois « parce que, avec tous leurs défauts, elles sont supérieures aux lois européennes qu'on voudrait introduire à leur place ». Suit un exposé sur l'origine et l'histoire de la féodalité en France.

Dans sa deuxième missive, en s'appuyant sur « les lettres patentes qu'en 1598 le bon roi Henri [IV] expédia à Mr de la Roche[36] », Girod cherche à démontrer que le système instauré en Nouvelle-France est fort différent et ne saurait être qualifié de féodal ; ici, les seigneurs ne sont pas propriétaires de leurs fiefs mais «dépositaires de biens fonds à eux confiés à certaines conditions en faveur de la masse des habitans».

Au fil des années, écrit Girod qui affirme avoir parcouru «deux gros volumes d'Édits et ordonnances», les seigneurs ont outrepassé leurs pouvoirs au détriment des intérêts du peuple. Et de donner des exemples sur la coupe illicite des bois, l'exigence de corvées abusives et l'imposition de monopoles sur la construction des moulins. Il s'en prend aussi aux cens et rentes excessifs que les habitants doivent payer dans plusieurs seigneuries et fournit des cas précis. En contrepartie, il cite des jugements de l'ancien Conseil supérieur qui précisent les règles de la tenure seigneuriale et interdisent les abus ; ces règles, selon lui, sont toujours en vigueur et il suffirait de les appliquer.

«Tu vois donc, Agricola, que la loi n'est pas oppressive, mais l'abus de la loi, et qu'en ne pas faisant [sic] exécuter une, qui n'est pas abolie par une autre, l'autorité est complice des oppresseurs[37]. » Si Jean-Paul est d'accord avec Agricola sur «la nécessité de faire disparaître ce système», il ne croit pas qu'il faille l'abolir immédiatement ; de plus, dès le départ, il avait jugé nécessaire de préciser qu'il ne saurait «être question d'enlever aux seigneurs une juste compensation de la perte qu'ils feront de ce qui leur est justement et légalement dû[38]. »

Les «Lettres seigneuriales» reprennent l'analyse que Girod a présentée dans ses *Notes diverses sur le Bas-Canada* à laquelle s'ajoutent son historique sur la féodalité en France et l'introduction de la tenure seigneuriale en Nouvelle-France et les règles qui la régissaient. Plus important, les «Lettres» indiquent une évolution de ses idées quant à l'avenir. Il affirme à plusieurs reprises qu'il faudra éventuellement abolir les seigneuries, mais qu'à court terme il importe d'assurer le respect par les seigneurs des règles qui prescrivent leurs devoirs envers les censitaires et permettraient de limiter les abus si elles étaient appliquées.

Sa conclusion tombe : la priorité est « de rétablir les anciennes lois dans toute leur force, de limiter les redevances, les lods et les ventes, etc. à un maximum ; [...] de limiter le temps pendant lequel les seigneurs pourraient encore jouir de ces droits pour les dédommager de leurs troubles, peines et dépenses et après déclarer toutes les concessions faites des francs aleus roturiers[39] ».

Les « Lettres seigneuriales » publiées par Girod permettent d'atteindre trois objectifs. D'abord, elles viennent combler une lacune dans le programme politique du Parti patriote ; les *92 Résolutions* n'avaient fait qu'effleurer la tenure seigneuriale, sans proposer quoi que ce soit. Ensuite, elles invitent Côté à se rallier au compromis proposé et à resserrer les rangs, ce qu'effectivement il acceptera. Enfin, elles fourniront un contenu que les orateurs des grandes assemblées publiques à venir pourront utiliser pour battre le rappel des troupes.

En effet, la détérioration de la situation politique, à partir d'avril 1837, annonce une marche inéluctable vers des affrontements.

* * *

En octobre 1836, la commission d'enquête présidée par le gouverneur Gosford avait terminé son travail et les deux commissaires-adjoints étaient retournés à Londres présenter leur rapport au ministre des Colonies. Ce rapport réduisait les revendications de la Chambre d'assemblée à cinq principaux points : un Conseil législatif élu, la responsabilité du Conseil exécutif devant la Chambre d'assemblée, le contrôle complet des finances publiques par celle-ci, la révocation du Tenure Act et la suppression de la British American Land, enfin la cession à la Chambre d'assemblée de l'administration des terres de la Couronne[40].

Les commissaires n'ont retenu qu'une revendication et recommandent le rappel du Tenure Act pour le remplacer par une loi acceptable à la Chambre d'assemblée. Les autres points ont fait l'objet d'un avis négatif.

Le ministre de l'Intérieur, lord John Russell, présente à la Chambre des communes, le 2 mars 1837, dix résolutions qui se résument, pour l'essentiel, au rejet des revendications canadiennes. Pire, la huitième résolution ne se limite pas à refuser la demande sur le contrôle des finances publiques; elle autorise le gouverneur à utiliser les revenus propres à la Chambre d'assemblée, sans son consentement.

Les réactions hostiles du Parti patriote aux résolutions Russell sont immédiates. Girod ne sera pas le dernier à les dénoncer et à radicaliser son engagement politique.

CHAPITRE SIXIÈME

La lutte extraparlementaire

LE COUP D'ENVOI des assemblées de dénonciation des résolutions Russell est donné le 7 mai 1837 à Saint-Ours, dans le comté de Richelieu. Le Comité central et permanent de Montréal a minutieusement préparé son déroulement et vu à la rédaction des propositions soumises à la discussion[1]. Il a demandé à l'un de ses membres, l'avocat et député de Montréal Côme-Séraphin Cherrier, de présider les débats ; l'instituteur et journaliste Jean-Philippe Boucher-Belleville, de Saint-Charles, assure la rédaction du procès-verbal.

L'assistance s'élève à 1200 personnes venues des paroisses du Bas-Richelieu pour entendre les discours Wolfred Nelson, de Saint-Denis et Siméon Marchesseault, de Saint-Charles. Les orateurs commentent les articles de Ludger Duvernay dans *La Minerve* et d'Edmund Bailey O'Callaghan dans le *Vindicator* et élaborent sur les effets néfastes des résolutions Russell. Douze propositions sont présentées par des citoyens issus des divers villages du comté[2]. Nettement mieux écrites que les *92 Résolutions*, elles résument dans un style concis et clair la position de la direction du Parti patriote.

Elles portent sur quatre thèmes : condamnation des résolutions Russell ; dénonciation des autorités coloniales ; appel à la non-consommation des importations, à leur boycottage, dirions-nous aujourd'hui, et à la consommation des produits locaux ou acquis par contrebande ; invitation à la population à se rallier autour de Papineau comme seul chef.

On[3] a comparé ce qui portera le nom de « Déclaration de Saint-Ours » à la « Déclaration du congrès » des États-Unis en 1774 et à la « Déclaration des droits de l'Homme » de l'Assemblée nationale française en 1789, ce qui est nettement abusif. La Déclaration de Saint-Ours exprime davantage les réactions du Parti patriote aux décisions de Londres et les moyens qu'il entend prendre pour s'y opposer ; elle s'apparente à un programme d'animation et d'action politiques.

Les auteurs des douze résolutions ne sont pas connus, mais il est certain que Papineau a apporté sa contribution aux six premières. Les résolutions sept et huit, celles qui invitent au boycottage et à la contrebande, émanent sans doute de Duvernay et de O'Callaghan ; Girod avait abordé lui-même le sujet dans *Le Glaneur*.

Jean-Philippe Boucher-Belleville dirige, depuis décembre 1836, ce nouveau journal, un mensuel voué essentiellement à l'agriculture. *Le Glaneur* a succédé à *L'Écho du Pays* liquidé par Pierre-Dominique Debartzch, en mai 1836, parce qu'il déplorait le contenu révolutionnaire de certains articles.

Dès le troisième numéro du *Glaneur*, celui de février 1837, Girod commence une série intitulée « Le livret de Jean-Paul, laboureur ». Il annonce qu'il parlera des différents produits que les cultivateurs auraient intérêt à fabriquer eux-mêmes plutôt que d'enrichir les importateurs. De février à juin, il traite successivement de la production du sucre à partir de la sève de l'érable, de celle de la potasse qui entre dans la composition du savon et de celle de la bière d'orge ; il recommande même d'utiliser la betterave pour fabriquer un ersatz de café !

Le message de Girod s'inscrit dans la ligne favorable au boycottage des produits étrangers pour les remplacer par les produits locaux. Quant à Ludger Duvernay, il se permet d'ajouter : « Les objets que nous ne pouvons fabriquer ici, l'ami Jonathan [les Américains] nous les fournira. Pour cela donnons la main au contrebandier : désormais c'est un brave que chacun de nous encouragera[4]. »

Girod publie aussi dans *Le Glaneur*, sous son nom, deux longs articles surprenants et étrangers à ses sujets habituels[5]. L'un porte sur l'histoire de l'exploration de la côte africaine et la découverte de la route des Indes par les Portugais. L'autre présente la biographie de Christophe Colomb et la description de ses voyages en Amérique. De toute évidence, dans la meilleure des hypothèses, Girod résume des ouvrages déjà publiés ; il n'est pas impossible qu'il s'agisse de la traduction d'articles parus en Europe.

Avec ces articles du *Glaneur*, Girod met fin à sa carrière de journaliste ; dorénavant, il consacrera toutes ses énergies à l'action politique.

La Déclaration de Saint-Ours provoque de nouvelles dissidences dans les rangs patriotes, dont celle, primordiale, du directeur du *Canadien*. Étienne Parent se résigne à s'incliner devant la volonté de Londres incarnée par les résolutions Russell : « Capitulons, acceptons les termes qui nous sont offerts, tout en protestant contre l'injustice qui nous est faite[6]. » Il craint le pire, et n'hésite pas à écrire : « Nous sommes dans la nécessité d'avouer notre faiblesse et l'impossibilité où nous sommes et serons longtemps encore de conquérir notre indépendance[7]. » Bien qu'il réaffirme son attachement aux *92 Résolutions*, il propose un moratoire sur les querelles constitutionnelles pour s'occuper de l'essentiel, les problèmes économiques et sociaux[8]. Cette stratégie de repli trouvera son équivalent un siècle et demi plus tard.

L'évolution des événements nourrira les appréhensions de Parent et multipliera ses attaques contre les agitateurs qui fomentent la révolution.

Une semaine après celle de Saint-Ours, trois assemblées se déroulent simultanément le 15 mai : l'une à Québec à l'intention des membres de la communauté irlandaise ; la seconde à Saint-Laurent, sur l'île de Montréal, où Papineau prononce l'un de ses meilleurs discours ; la troisième à Saint-Marc.

Les bureaux des six paroisses du comté de Verchères ont convoqué la rencontre de Saint-Marc. À Varennes, ont signé l'invitation : Paul Lussier, Joseph Ainsse, Aimé Massue, Antoine Brodeur, Édouard Beaudry, Eugène-Napoléon Duchesnois, Amury Girod, Alexis Pinet, Nicolas Massue, Henri Aubertin, Albert Desrochers, Hippolyte Parizeau, Jean-Louis Beauchamp, Léon Beauchamp. Les mêmes donc qui avaient été élus en décembre 1833 pour former le comité local du Parti patriote.

Augustin Marchesseault, de Saint-Antoine, préside avec Étienne Gauvreau, de Verchères, à la vice-présidence. Deux secrétaires rédigent le rapport : Pierre Ménard, de Verchères, et Azarie Archambault, de Varennes. À leurs côtés, sur l'estrade, prennent place les deux députés du comté, Joseph-Toussaint Drolet et Pierre Amiot.

Girod prononce le discours d'ouverture. Au début, il retient une approche factuelle : il résume l'histoire des revendications du Parti patriote et les refus successifs des autorités coloniales pour y donner suite, et rappelle les décisions et mesures de l'administration qui vont à l'encontre d'une saine gestion des fonds publics. Puis, il énumère, avec exemples à l'appui, les taxes indirectes qui frappent les habitants pour enchaîner sur un ton sarcastique :

> Il se pourrait bien qu'en une dizaine d'années vous payassiez des taxes non seulement sur vos terres [...] mais pour la lumière qui vous éclaire, pour l'eau des rivières que vous buvez, pour le grain que vous cultivez, pour l'air que vous respirez[9].

Et de poursuivre dans une envolée oratoire :

Pouvez-vous vous soumettre à la mesure arbitraire du gouvernement d'Angleterre, le devez-vous, le voulez-vous ? [...] Vous ne pouvez pas, vous ne voulez pas le faire.

L'assemblée adopte huit résolutions. Les quatre premières dénoncent les résolutions Russell et la cinquième endosse la Déclaration de Saint-Ours. La sixième ajoute une nouvelle idée, lourde d'intention :

Qu'il soit nommé une délégation de douze personnes de ce comté pour rencontrer en Convention un nombre proportionnel de délégués des autres comtés, soit d'un ou plusieurs districts de toute la province, selon qu'il arrivera ; que ces 12 délégués soient nommés pour l'espace de deux ans, à compter de la date de la première convocation [...][10].

Le libellé rejoint celui de la résolution adoptée le même jour à Saint-Laurent qui recommande la convocation d'une convention générale où siégeraient les membres du Conseil législatif et la Chambre d'assemblée qui appuient la Déclaration de Saint-Ours et d'un nombre de délégués élus équivalant à deux fois le nombre de députés de la chambre basse.

La résolution de Verchères va plus loin en limitant à deux ans la durée des mandats des délégués et surtout en énonçant les principes qu'ils devront défendre :

Égalité de tous les citoyens.
Point de distinction d'origine, de langue et de religion.
Un conseil législatif électif.
Un exécutif responsable au Peuple.
Le Contrôle de la branche élective de la législature sur tous les deniers publics en ce pays, de quelque source qu'ils proviennent.
Point de Monopole, et celui sur les terres moins que tout autre.
Liberté pleine et entière du Commerce.

Plutôt une lutte sanglante, mais juste et honorable, qu'une soumission lâche à l'oppression d'un pouvoir corrompu. Assiduité régulière aux séances de cette Convention.

La septième résolution désigne, pour siéger à la convention, douze délégués qui s'engagent à défendre ces principes ; Duchesnois et Girod représenteront la paroisse de Varennes. Petite erreur de parcours : si Montréal, avec ses six députés, pouvait élire douze délégués, le comté de Verchères aurait dû se limiter à nommer quatre délégués et non douze.

L'adoption le même jour, à Saint-Laurent, de résolutions similaires concernant un projet de convention générale ne saurait être perçue comme une coïncidence. Sans conclure à une connivence entre les orateurs de deux assemblées, nous pensons que Girod connaissait le libellé de la proposition présentée à Saint-Laurent et qu'il a suscité celle de Saint-Marc, en y ajoutant des éléments de son cru. Les assemblées à venir dans les autres comtés se contenteront d'élire leurs délégués, sans préciser les principes de base qui devront orienter les débats de la convention générale.

John Neilson, ex-député du Parti patriote, commente dans *La Gazette de Québec.*

> Les résolutions de Saint-Marc surpassent, s'il est possible, en extravagance et en criminalité, celles de Saint-Ours et de Saint-Laurent.
>
> En tête et comme auteur principal de ces résolutions figure un étranger vivant et jouissant de l'hospitalité sous la protection de nos lois, et qui pousse l'oubli des convenances jusqu'à provoquer ouvertement la violation de ces lois et la résistance à main armée au gouvernement qui lui donne asyle.
>
> Si le cosmopolite Amury Girod, ci-devant suisse, ci-devant colombien, ci-devant mexicain, etc., etc., est mécontent de ce gouvernement, le monde est vaste[11].

Il l'invite à retourner dans ses anciennes patries ou, à défaut, aux États-Unis.

Girod réplique dans un court billet[12] où il « présente ses respects à la vieille de la *Gazette de Québec*», affirme qu'il entend demeurer ici « parce que tel est son bon plaisir » et qu'il continuera à prendre part « aux affaires publiques ». Il se déclare « mortifié de ce que sa manière de se conduire ne rencontre pas l'approbation de la bonne dame, vu qu'il respecte beaucoup le sexe, excepté pourtant les vieilles intrigantes et radoteuses ».

L'idée de tenir une convention générale ne présente, en soi, aucune intention subversive. Associé à la Déclaration de Saint-Ours qui remet en question la légitimité du gouvernement colonial, le projet prend l'allure d'une menace de transformer la convention en assemblée constituante. Le gouverneur général l'interprétera ainsi et ne tardera pas à réagir.

L'assemblée de Saint-Laurent a également formé un comité central du comté de Montréal qui tient sa première réunion à l'hôtel Nelson, place Jacques-Cartier, le mardi 24 mai 1837. En réalité, ce comité jouera le rôle d'un Comité central et permanent, similaire à celui mis en place en 1834.

Le Comité central maintient le principe de l'élection d'un président à chaque séance, mais désigne deux secrétaires permanents : George-Étienne Cartier et Chevalier de Lorimier ; un trésorier : Édouard-Raymond Fabre. En seront membres de droit les conseillers législatifs et les députés favorables aux résolutions adoptées à Saint-Laurent et les membres des comités permanents mis en place dans les autres comtés. À cette même séance, le Comité nomme un membre honoraire, Eugène-Napoléon Duchesnois, le beau-frère de Girod ; nous ignorons pourquoi.

On décide de lancer une souscription pour assurer les frais de fonctionnement du Comité central, avec un appel invitant les autres comtés à apporter leurs contributions et à les remettre à Fabre. Enfin, on adopte une pétition aux membres du Congrès américain : à toutes fins utiles, il s'agit d'une proposition de libre-échange commercial entre le Bas-Canada et les États-Unis :

> [...] que les restrictions oppressives et impolitiques qui gênent le commerce actuel entre cette province et les États-Unis sur les blés, bois, thés, cotons et autres articles soient supprimées, de manière que le peuple de ce côté de la frontière puisse acheter aux marchés des États-Unis les marchandises qui peuvent lui être utiles, et les payer avec le surplus de ses blés, farines, bois et autres produits, sans être chargé de taxe aux différents ports sur vos frontières[13].

Le 8 juin, le Comité central et permanent dénonce « le papier publié à Québec sous le titre du *Canadien,* en faisant appel à tous les réformistes de la province de retirer leur appui à ce papier, et à son Éditeur, qui a trahi et continue de trahir les intérêts du pays[14] ». Et vlan ! pour Étienne Parent.

Et les assemblées se poursuivent : trois se tiennent le jeudi 1er juin à Saint-Hyacinthe, à Chambly et à Sainte-Scholastique. La troisième est la plus importante en participation : 2000 personnes du comté des Deux-Montagnes s'y retrouvent. Des centaines de Patriotes, avec drapeaux, bannières et chants de circonstance, quittent Grand-Brûlé et accompagnent Louis-Joseph Papineau et le député Jean-Joseph Girouard pour gagner le lieu de la manifestation. En cours de route, les Patriotes de Rivière-du-Chêne, avec le député William Henry Scott et le docteur Jean-Olivier Chénier à leur tête, se joignent au défilé[15].

Le marchand Jacob Barcelo préside l'assemblée, avec Joseph-Amable Berthelot à la vice-présidence ; les deux secrétaires sont John Hawley et Luc-Hyacinthe Masson. Les orateurs se succèdent : les députés Girouard et Scott, le lieutenant-colonel de milice Ignace Raizenne, Luc-Hyacinthe Masson,

Jean-Baptiste Dumouchel, Edmund Bailey O'Callaghan et bien sûr le grand Papineau qui reprend les mêmes thèmes qu'à Saint-Laurent.

La Déclaration de Saint-Ours, avec son volet économique, les résolutions de Saint-Laurent et de Verchères, avec leur projet de convention générale, la pétition au Congrès des États-Unis en faveur du libre-échange, les discours de Papineau qui amplifient le tout, voilà autant de prétextes pour soulever l'ire des Bureaucrates et l'agressivité de la presse loyaliste. Le gouverneur Gosford, s'il désire lui-même éviter d'attiser les passions et de provoquer l'affrontement, subit les pressions de son entourage pour mettre fin aux menées des Patriotes.

* * *

Le 15 juin, Gosford émet une proclamation d'appel au calme et au loyalisme[16]. « [...] J'exhorte tous les citoyens à s'unir pour maintenir la paix et le bon ordre, à discontinuer la publication de tous les écrits de nature à irriter les esprits ou à exciter la sédition, je les exhorte à éviter toutes les assemblées d'un caractère équivoque ou dangereux. » Il commande « à tous les Magistrats [...], à tous les Officiers de milice, à tous les Officiers de paix et à tous les autres fidèles sujets de Sa majesté dans cette Province de s'opposer aux projets insidieux ». Le 21 juin, il donne l'ordre aux commandants des bataillons de milice de lire sa proclamation à la revue annuelle des troupes prévue pour le 29.

Le Comité central et permanent ne tarde pas à se réunir pour dénoncer l'inconstitutionnalité de la proclamation comme une atteinte aux libertés du peuple.

> Toute tentative de la part des autorités de cette province, soit par l'emploi de la force, soit par celui d'injonctions officielles, de proclamations ou autrement, pour prohiber de semblables assemblées, ou détourner de s'y rendre, sont

inconstitutionnelles [sic] et une infraction des droits et privilèges du peuple de cette province[17].

Proclamation et ordonnance ne peuvent plus mal tomber en cette veille de la Saint-Jean-Baptiste. La célébration de ce qui deviendra la fête nationale est fixée au lundi 26 juin, le 24 étant jour d'abstinence ; elle fournit aux patriotes, ici et là, l'occasion de manifester leur opposition.

À Varennes, Eugène-Napoléon Duchesnois prend en main la direction des opérations. Il organise, à l'auberge Girard, la tenue d'un banquet présidé par le seigneur Paul Lussier. Des rameaux d'érable ornent les murs de la salle ; au fond deux drapeaux tricolores encadrent une lance de bois surmontée du « bonnet bleu canadien ». Soixante-quatorze convives consacrent l'après-midi, de 1 heure à 6, à festoyer au son des chants patriotiques et à porter les traditionnelles « santé » appuyées par les discours de circonstance[18].

L'honneur revient au docteur Duchesnois d'ouvrir la ronde des « santé », suivi de Félix Lussier et Jean-Louis Beauchamp. Girod, son tour venu, lève son verre à l'énoncé : « Liberté et patrie : l'esclave baise sa chaîne, l'homme libre la brise ! » et brode sur le thème des idéaux républicains. Louis Lacoste, notaire de Boucherville et député du comté de Chambly, rend hommage à Louis-Joseph Papineau et aux représentants du peuple.

La veille, la journée avait débuté par un geste de colère de Duchesnois qui, trouvant une copie de la proclamation du gouverneur affichée sur la porte de l'église, l'a arrachée et déchirée en menus morceaux, au grand plaisir des fidèles venus assister à la grand-messe. L'office religieux terminé, les habitants se sont assemblés pour commenter la situation. Une crise éclata lorsque le notaire Alexis Pinet se mit à dénoncer les actions subversives du Parti patriote à l'encontre de la légalité et de l'ordre établi. Alors que, le mois précédent, il siégeait au comité de Varennes, il effectue un virage bout pour bout et se rallie au camp des Bureaucrates. De ce jour, il exprimera un loyalisme sans faille et manifestera un zèle ardent à pourfendre ses anciens camarades.

Il dénonce Duchesnois et saisit la cour des sessions de la paix d'une requête pour porter une accusation de sédition à son endroit. La procédure engagée aboutira, en septembre, à un arrêt de non-lieu par un grand jury.

Pinet s'en prend surtout à Girod de qui vient tout le mal et tente de provoquer des réactions susceptibles de poursuites judiciaires. Girod, depuis sa triste et humiliante histoire avec Sabrevois de Bleury, a appris à se contrôler et à dominer ses émotions : il se contente de répondre aux accusations du notaire par une longue lettre où, sur un ton persifleur, la politesse le disputant à l'ironie, il réfute les propos de son adversaire et raille ses multiples activités de notaire, de marchand, de juge de paix et de capitaine de milice[19].

La Minerve publie cette lettre le jour de la revue annuelle de la milice, moment choisi par le gouverneur Gosford pour la lecture publique de sa proclamation. Les habitants de Varennes, attroupés sur la place devant l'église, observent la suite des événements. L'heure n'est plus aux rassemblements des miliciens. Le capitaine Jacques Le Moyne de Martigny, un loyaliste, renonce à commander aux siens de s'aligner ; les capitaines Antoine Brodeur et Charles Monjeau n'entendent pas procéder, ni les lieutenants, dont Duchesnois.

Le notaire et capitaine Pinet explose. Lui et le docteur Perkins Nichols, entourés d'une dizaine de fidèles, foncent sur Girod pour l'apostropher, le traiter de sans-culotte, le menacer de le chasser du village, déclarer qu'il mériterait d'être pendu et l'injurier copieusement[20]. Ils tentent de s'en prendre physiquement à lui. Girod a la sagesse de ne pas répliquer et se retire avec ses amis Édouard Beaudry, Félix Lussier et Eugène-Napoléon Duchesnois.

La cour des sessions de la paix est saisie de l'affaire ; le 14 juillet, un grand jury déclare véridiques les faits, ajoute que Pinet, Nichols et compagnie ont porté atteinte à la paix du roi et à la dignité de la Couronne devant environ 300 personnes et recommande qu'ils soient accusés de conspiration, d'émeute, de tumulte et d'assaut[21]. Les inculpés plaident non coupables et le procès est reporté aux assises d'octobre. Le 28 octobre, les jurés rendent un verdict de culpabilité et, le 30, les juges du tribunal reportent leur sentence aux assises de janvier 1838, se contentant d'exiger de Pinet et de Nichols des cautionnements de 20 livres chacun.

Parallèlement aux procédures entamées par le procureur du roi, Girod s'adresse au tribunal de juridiction civile pour le saisir d'une requête en diffamation contre le notaire Pinet et réclame 3000 livres en dommages et intérêts. La cour du Banc du roi rend une sentence de culpabilité le 5 novembre, mais les juges, avec un humour noir, n'imposent à Pinet qu'un chelin en guise de réparation, tout en exigeant que Girod assume les frais du procès qui s'élèvent à 30 livres[22].

Durant l'été, Girod participe régulièrement aux réunions du comité permanent de Varennes qui siège tous les mois sous la direction de Paul Lussier, président, Aimé Massue, vice-président, et Azarie Archambault, secrétaire. On le retrouve aussi aux réunions du Comité central et permanent de Montréal qui se réunit presque chaque semaine.

Il contribue à la mise sur pied de comités locaux dans les villages de l'est de l'île de Montréal. Le 25 juin, il organise avec François Armand, cultivateur et capitaine de milice, la tenue d'une assemblée de paroisse à Rivière-des-Prairies ; il recrute un autre cultivateur, Robert Turcotte, pour occuper le poste de secrétaire[23].

Le 17 juillet, avec trois semaines de retard, les habitants de Pointe-aux-Trembles fêtent la Saint-Jean-Baptiste. Cinquante-cinq convives se réunissent à l'auberge Châtelain, tenue par François Malo ; ils partagent un repas où « on ne [fait] usage que des boissons du pays[24] ». Puis, ils entament la ronde des « santé ». Girod boit en l'honneur du « peuple, source unique du pouvoir ». Suivent Eugène-Napoléon Duchesnois, Azarie Archambault et Robert Turcotte, le délégué de Rivière-des-Prairies. Le porte-parole local, Joseph Laporte, rend hommage « aux réformistes de Varennes qui se sont joints à nous ».

Ces réformistes de Varennes, ils reviendront souvent à Pointe-aux-Trembles au cours des mois suivants. Le village reçoit depuis longtemps la visite des habitants de l'île Sainte-Thérèse, située juste en face, qui fréquentent son église et ses auberges, de préférence à celles de Varennes. Girod connaît les liens qui unissent les familles ; conscient de la situation stratégique du village qui contrôle le chemin du Roy qui, de Montréal, conduit à Repentigny, Berthier et Trois-Rivières, il travaillera avec François Malo et Joseph Laporte à mettre en place une équipe dynamique.

Le 6 août, Girod se rend à Saint-Constant où le Parti patriote du comté de La Prairie tient une assemblée publique. Elle est présidée par le major Joseph Longtin, un officier vétéran de la victoire de la Châteauguay durant la guerre de 1812 entre l'Angleterre et les États-Unis. Sont élus deux capitaines de milice pour agir comme vice-présidents et deux secrétaires pour rédiger le procès-verbal. Prennent place sur la tribune les deux députés, Joseph-Narcisse Cardinal et Joseph-Moïse Raymond, ainsi que les orateurs.

Cardinal s'adresse le premier aux 2000 participants, suivi de Côme-Séraphin Cherrier, député de Montréal ; Toussaint Peltier, Thomas Storrow Brown, Amury Girod et André Lacroix leur succèdent. L'assemblée adopte une série de résolutions particulièrement radicales et mêmes provocantes ; l'une d'elles révèle des intentions à peine voilées :

> Que dans les circonstances présentes, les habitants de ce comté jurent solennellement que, vu la conduite infâme du pouvoir envers ce pays, ils verront avec plaisir l'occasion qui leur donnerait les moyens de secouer le joug tyrannique qui pèse sur eux, et que s'ils prennent jamais les armes, ça ne

sera pas pour conserver au gouvernement un pouce de terre dans l'Amérique du Nord[25].

Point tournant dans la stratégie du Parti patriote? Pas encore, mais ces résolutions indiquent une tendance; elles ont peut-être été introduites à l'intention de deux membres de l'assistance: Édouard de Pontois, ministre plénipotentiaire et envoyé extraordinaire de France aux États-Unis, et Dubois de Saligny, secrétaire d'ambassade à Washington. En visite au Bas-Canada, ils ont accepté l'invitation de Thomas Storrow Brown de participer à l'assemblée de Saint-Constant.

Papineau les reçoit à souper chez lui le surlendemain. Bien que de Pontois ait rencontré auparavant à Québec le gouverneur Gosford et assisté à une assemblée loyaliste, ses relations avec le Parti patriote incitent lord Palmerston, ministre des Affaires étrangères de Grande-Bretagne, à demander à son homologue français, le comte de Molé, «des explications très sérieuses sur ce voyage[26]». L'incident diplomatique n'aura pas de suite.

Le gouverneur Gosford, dans une ultime tentative pour trouver une solution à la crise politique, convoque une nouvelle session parlementaire à Québec, pour le 18 août. Au début du mois, il effectue une tournée des villages au sud de Montréal que pilote le dissident Sabrevois de Bleury, toujours député du comté de Richelieu, mais sur le point d'être nommé membre du Conseil législatif.

Le gouverneur et sa suite parcourent Varennes le 7 août. Jacques Le Moyne de Martigny les accompagne chez les principaux notables: les seigneurs Paul Lussier et Joseph Ainsse, les notaires Édouard Beaudry et Alexis Pinet, le médecin Eugène-Napoléon Duchesnois, le marchand Aimé Massue, le curé Charles-Joseph Primeau[27]. Visites de courtoisie, visites intéressées qui fournissent à Gosford l'occasion de s'enquérir de l'état des esprits et de manifester ses bonnes intentions. Parions sur l'accueil poli mais réservé, pour ne pas dire glacial, reçu chez Duchesnois.

À l'ouverture de la quatrième session du 15ᵉ Parlement, nombre de députés ont troqué leurs vêtements habituels pour des habits en étoffe du pays, de fabrication domestique. Gosford prononce le discours inaugural où il invite les députés à la conciliation, déclare que l'application des résolutions Russell est différée, laisse entrevoir des réformes pacificatrices et demande de lui accorder les budgets nécessaires à l'administration des affaires courantes. En réalité, il n'annonce rien de concret, sauf sa demande concernant les crédits.

La réponse, rédigée par le député de Bellechasse, Augustin-Norbert Morin, réaffirme les positions antérieures du Parti patriote, dont l'exigence de la révocation des résolutions Russell et le refus de siéger tant qu'un début de réformes n'aura pas vu le jour. C'est l'impasse. Le 26 août, Gosford met fin aux délibérations de la Chambre d'assemblée et suspend la session jusqu'au 5 octobre. On sait que les travaux ne reprendront pas et que le Parlement du Bas-Canada ne siégera jamais plus.

La session à peine prorogée, Samuel Walcott, secrétaire du gouverneur pour les affaires civiles, émet un ordre général pour épurer l'administration publique, le système judiciaire et la milice de tous les employés, juges et officiers qui ont participé à des assemblées depuis le 15 juin. Le nettoyage décrété par le gouverneur se traduira par la révocation de dizaines de personnes ; des centaines d'autres, sans attendre d'être interrogées sur leurs activités politiques, enverront leurs lettres de démission.

Plusieurs Patriotes, dont Louis-Joseph Papineau, avaient déjà eu le privilège de recevoir une lettre exigeant des explications sur leur présence à telle ou telle assemblée. Duchesnois, à titre de lieutenant de milice, a reçu la sienne le 8 août ; il répond le 28 :

Monsieur. - En réponse à votre lettre en date du 8 ultimo, je vous prie d'informer son excellence que j'étais présent et que j'ai pris une part très active aux procédés de l'assemblée tenue à St. Marc, le 15 mai dernier, mais que je ne crois pas devoir donner des explications en justification de ma conduite en cette occasion, à qui que ce soit en particulier. Si j'ai violé les lois, les tribunaux devraient en juger[28].

Le lendemain, Gosford signe la révocation de sa commission de lieutenant.

Le samedi 9 septembre 1837, dans l'après-midi, la population de Varennes envahit la rue Sainte-Anne. Les maisons sont « pavoisées d'étendards, de guirlandes, de fleurs et de branches d'érable ». Un canon tonne de minute en minute. Une centaine de voitures encadrées par des cavaliers arrivent par le chemin d'en Bas. Dans celle de tête, debout, Louis-Joseph Papineau salue la foule ; à ses côtés, son fils Amédée l'accompagne à cheval.

En route pour Montréal, Papineau a quitté Saint-Hyacinthe le jeudi précédent pour La Présentation et Saint-Denis où il a couché chez le docteur Wolfred Nelson. Le lendemain, il a franchi le Richelieu, s'est arrêté à Saint-Antoine, puis a gagné Verchères où il a passé la nuit chez le curé René-Olivier Bruneau, frère de sa femme. Son voyage a été ponctué de discours et de manifestations populaires dans tous les villages qu'il a traversés.

À Varennes, la caravane s'arrête devant le manoir du seigneur Paul Lussier qui accueille le chef du Parti patriote dans l'enthousiasme général. Girod s'est chargé de réchauffer la foule par une charge en règle contre Alexis Pinet et par un appel aux habitants pour les inviter à tendre la main à leurs concitoyens qui hésitent à se rallier aux Patriotes par crainte de s'exposer aux poursuites du notaire délateur.

Papineau prend la parole à son tour et s'étend sur la crise politique qui prend de l'ampleur. Il dénonce les auteurs — le notaire Pinet et le docteur Nichols sont directement visés — des mesures d'intimidation et des poursuites vexatoires à l'endroit des citoyens de Varennes ; en terminant, il rend hommage au docteur Duchesnois pour sa conduite exemplaire.

Le semaine précédente, Duchesnois avait été acquitté par un grand jury de l'accusation intentée par Pinet en juin dernier. À son arrivée au quai de Varennes, à sa descente du bateau qui le ramenait de Montréal, le médecin a été accueilli par une salve de trois coups de canon et une foule importante qui l'a reconduit chez lui[29].

* * *

Les événements se précipitent. Début octobre, les journaux reproduisent le texte d'une «Adresse des Fils de la Liberté aux jeunes gens des colonies de l'Amérique du Nord[30]». Le document reprend les grands thèmes des *92 Résolutions* et de la Déclaration de Saint-Ours. D'un style lourd et aride, l'adresse n'a rien de mobilisateur ; les discours patriotiques ont plus d'effet sur la jeunesse de Montréal et leur embrigadement stimule leurs convictions.

La fondation des Fils de la Liberté remonte au 5 septembre ; ce jour-là, plusieurs centaines de jeunes gens se réunissent à l'hôtel Nelson pour entendre Robert Nelson, André Ouimet et Édouard-Étienne Rodier, député de L'Assomption, qui soulèvent l'assemblée par d'agressifs discours. La nouvelle organisation vise à regrouper les jeunes du Parti patriote pour répondre aux provocations, aux intimidations, voire aux agressions du «Doric Club» qui réunit les jeunes loyalistes du Parti bureaucrate[31].

Le mouvement des Fils de la Liberté comprend deux divisions. La division civile joue un rôle d'animation et de formation politique. Assurent sa direction le président André Ouimet, un étudiant en droit de vingt-huit ans, et les vice-présidents Jean-Louis Beaudry, un commerçant du même âge, et Joseph Martel, un sellier de trente-deux ans ; au poste de secrétaire, Georges Boucher de Boucherville, avocat de vingt-trois ans, et à celui de trésorier, Jean-Guillaume Beaudriau, étudiant en médecine de vingt ans.

La division paramilitaire, mise sur pied au début d'octobre sous l'autorité de Thomas Storrow Brown, a pour mission la protection des chefs du Parti patriote et le service d'ordre dans les assemblées; elle devra aussi répondre aux attaques prévisibles du Doric Club[32]. Six sections — euphémisme pour compagnies — œuvrent dans autant de quartiers de Montréal. Elles sont sous la direction de brigadiers, qu'on évite d'appeler capitaines: Amable Simard, médecin de trente-trois ans, pour la première section; Henri-Alphonse Gauvin, médecin de vingt-deux ans, pour la seconde; François Tavernier, marchand de quarante-cinq ans, pour la quatrième; Chamilly de Lorimier, avocat de vingt-huit ans, Rodolphe Desrivières, commis de vingt-quatre ans, et André Lacroix, médecin de trente-deux ans, ont la responsabilité des trois autres, mais nous ignorons laquelle exactement pour chacun d'eux[33].

D'autres sections des Fils de la Liberté se mettront en place à La Prairie, L'Acadie, Saint-Charles, Saint-Denis, Saint-Eustache, Berthier et Pointe-aux-Trembles. Cette dernière section voit le jour le 5 novembre: 160 jeunes se réunissent à l'auberge de François Malo et décident «de former et d'organiser la compagnie des Miliciens du Peuple», de se nommer des chefs et de s'exercer au maniement des armes[34]. On sent Girod derrière cette expression à consonance helvétique. Parmi les chefs, Marc Campbell, un commis de dix-neuf ans, et Urbain Desrochers, un sculpteur de vingt ans. Si jeunes, pas étonnant qu'ils fassent appel à un vieux de trente-neuf ans pour les conseiller et les entraîner; Girod traversera à plusieurs reprises le canal entre son île et le village pour répondre à leurs attentes.

De plus en plus inquiet de la tournure des choses, le gouverneur Gosford envoie le 12 octobre une dépêche au Colonial Office pour demander la suspension de la constitution du

Bas-Canada et par la même occasion les pleins pouvoirs. Sa décision ne s'explique pas uniquement par la mobilisation des jeunes patriotes et les risques d'affrontement avec les jeunes loyalistes du Doric Club. Il a appris qu'une grande assemblée doit se dérouler à Saint-Charles le 23 octobre et qu'il y avait tout lieu de croire qu'elle remettrait en question les institutions du Bas-Canada.

Ce même 12 octobre, *La Minerve* publie un avis où «les soussignés invitent leurs concitoyens des comtés de Saint-Hyacinthe, Rouville, Richelieu, Chambly et Verchères» à une assemblée de réforme «pour prendre en considération l'État du Pays». Suivent les noms de quelque 200 personnes issues de tous les villages; de Varennes, on retrouve ceux du seigneur Paul Lussier, d'Eugène-Napoléon Duchesnois, d'Édouard Beaudry et d'Amury Girod. L'assemblée de Saint-Charles a été préparée de longue date.

Le 1er octobre, le comité permanent de Varennes s'était réuni à l'auberge de Jean-Baptiste Girard, sous la présidence de Charles Monjeau, ex-capitaine de milice; il a été révoqué le même jour que Duchesnois. Antoine Brodeur, qui conserve sa commission de capitaine jusqu'à nouvel ordre, a été nommé vice-président et Azarie Archambault, secrétaire. L'absence de toute référence à Aimé Massue révèle que celui-ci a pris ses distances et rejoint le clan Pinet; le seigneur Joseph Ainsse, pour sa part, s'est retiré dans la neutralité.

Après avoir invité la jeunesse de Varennes à mettre sur pied une section locale des Fils de la Liberté et voté une motion de félicitations au docteur Duchesnois, le bureau formait un sous-comité de sept membres, ceux qui signeront l'avis de convocation dans *La Minerve,* pour «préparer un exposé sur les objets que cette paroisse désire voir discuter dans l'assemblée de Saint-Charles». Le bureau a aussi décidé de prendre les moyens pour s'assurer que le maximum de Varennois se rendent à Saint-Charles, et s'est engagé à présenter «un rapport exact au peuple de Varennes des procédés de l'assemblée le dimanche suivant[35] ».

Des initiatives similaires ont été prises dans les autres paroisses des cinq comtés, ce qui explique la présence de plusieurs milliers de personnes le jour venu, malgré le mauvais état des chemins détrempés par les pluies d'automne.

Le lundi 23 octobre 1837, à midi, en présence de 5000 à 7000 habitants, s'ouvre l'assemblée sur la rive droite du Richelieu, dans un pré appartenant au docteur François Duvert. Une estrade a été dressée pour les chefs des Patriotes. Treize députés de la Chambre d'assemblée sont présents : Louis-Joseph Papineau (Montréal-Ouest), Pierre Amiot (Verchères), Louis-Renaud Blanchard (Saint-Hyacinthe), Cyrille-Hector-Octave Côté (L'Acadie), Jacques Dorion (Richelieu), Joseph-Toussaint Drolet (Verchères), Jean-Joseph Girouard (Deux-Montagnes), Louis Lacoste (Chambly), Edmund Bailey O'Callaghan (Yamaska), André-Benjamin Papineau (Terrebonne), Charles-Ovide Perrault (Vaudreuil), Édouard-Étienne Rodier (L'Assomption), Louis-Michel Viger (Chambly). Un seul membre du Conseil législatif, François-Xavier Malhiot[36].

Certains signalent, par leur absence, leurs hésitations à accompagner le Parti patriote dans la voie où il s'engage. Retenons les noms du conseiller législatif Denis-Benjamin Viger et des députés Joseph-Narcisse Cardinal (La Prairie), Côme-Séraphin Cherrier (Montréal), Louis-Hippolyte La Fontaine (Terrebonne) et William Henry Scott (Deux-Montagnes).

À côté de l'estrade s'élève une « colonne de la Liberté » surmontée d'un bonnet phrygien. Les ex-capitaines de milice Louis Lacasse et François Jalbert et une centaine de volontaires assurent le service d'ordre et accompagnent les moments forts de salves de mousquet. Des drapeaux tricolores aux bandes horizontales verte, blanche et rouge claquent au vent. Des pancartes aux slogans patriotiques s'agitent ici et là.

Le docteur Wolfred Nelson préside les débats, avec deux vice-présidents : le docteur François Duvert, l'hôte de l'assemblée, et le député de Verchères, Joseph-Toussaint Drolet. Les fonctions de secrétaire sont confiées à Amury Girod et Jean-Philippe Boucher-Belleville.

À peine l'assemblée déclarée ouverte, le député Cyrille-Hector-Octave Côté, l'Agricola des lettres seigneuriales de Girod, se présente à la tête d'une délégation du comté de L'Acadie et demande l'autorisation de se joindre aux cinq comtés. Une résolution en ce sens est aussitôt présentée par Siméon Marchesseault et Eugène-Napoléon Duchesnois ; elle reçoit l'appui de l'assemblée. Girod et Duvert en soumettent immédiatement une seconde pour inviter les comtés de La Prairie et de Mississiquoi à intégrer la confédération des six comtés.

Les orateurs défilent : Wolfred Nelson, suivi de Louis-Joseph Papineau, puis de Louis-Michel Viger, de Louis Lacoste, d'Édouard-Étienne Rodier, de Cyrille-Hector-Octave Côté, de François-Xavier Malhiot, de Thomas Storrow Brown, enfin d'Amury Girod. Deux tendances se dégagent[37]. Papineau, Viger, Lacoste, Rodier et Malhiot tiennent un discours modéré, dénonçant le gouverneur et les Bureaucrates et prônant la résistance dans le cadre constitutionnel. Les quatre autres adoptent un ton agressif, appelant à la violence. Nelson : « Le temps est arrivé de fondre nos plats et nos cuillères d'étain pour en faire des balles ». Côté : « Le temps des discours est passé, c'est du plomb qu'il faut envoyer maintenant à nos ennemis ». Brown parle dans le même sens et Girod clôture la série des interventions en invitant « les habitants à prendre les armes contre le présent gouvernement[38] ».

L'assemblée adopte treize résolutions. Elles sont l'œuvre d'un comité de trente-six personnes, dont Papineau, O'Callaghan et six députés, qui s'est réuni la veille à l'hôtel

Ducharme de Saint-Charles. Girod en est membre, sans que nous connaissions la nature de sa contribution. Ces résolutions ajoutent un plan d'action à la Déclaration de Saint-Ours. Les plus controversées invitent la population à s'abstenir de toute collaboration avec les fonctionnaires de l'État, à élire ses propres juges de paix et officiers de milice, à faciliter le passage aux États-Unis des déserteurs de l'armée britannique, à mettre en place des sections des Fils de la Liberté dans toutes les paroisses.

Le lendemain, à 14 heures, l'assemblée se réunit de nouveau pour approuver une «Adresse de la Confédération des six comtés au peuple du Bas-Canada» présentée par Côté et Duchesnois. Nelson, Côté et Girod en expliquent le sens.

L'«Adresse» constitue une excellent synthèse des résolutions de la veille. Les transitions entre les principes et les mesures adoptées mettent en lumière la cohérence de l'ensemble. Le ton modéré indique un compromis entre les deux tendances exprimées la veille. Un style allégé des aspects juridiques et procéduriers, avec ici et là des tournures favorables à une lecture devant un auditoire d'illettrés, a été retenu pour favoriser sa diffusion.

Un comité s'était chargé de la rédiger; nous en ignorons la composition, mais il devait sûrement comprendre Papineau, Rodier, Nelson et Côté pour réconcilier leurs points de vue réciproques. Les deux secrétaires, Girod et Boucher-Belleville, dont les talents d'écrivain sont connus, ont vraisemblablement rédigé la version finale. Notons que l'adresse ajoute un élément nouveau aux résolutions votées la veille: «En commun avec les diverses nations de l'Amérique du Nord et du Sud qui ont adopté les principes contenus dans cette Déclaration [de l'indépendance américaine], nous regardons les doctrines qu'elle renferme comme saines et évidentes»; qui d'autre que Girod a pu penser de lier le Bas-Canada aux nouvelles républiques d'Amérique latine?

Outre l'«Adresse», l'assemblée approuve une résolution pour inviter la direction du Parti patriote à «considérer sérieusement si le temps n'est pas prochain où elle [la convention] devrait se réunir[39]».

Les réactions ne tardent pas. Dès le lendemain, l'évêque de Montréal, monseigneur Lartigue, réaffirme l'alliance du sabre et du goupillon dans un long mandement où il rappelle la doctrine de l'Église. «Les lois divines et humaines s'élèvent donc contre ceux qui s'efforcent d'ébranler, par des trames de révolte et de sédition, la fidélité aux princes, et de les précipiter du trône.» Il conclut: «Ne vous laissez pas séduire si quelqu'un voulait vous engager à la rébellion contre le gouvernement établi, sous prétexte que vous faites partie du peuple souverain[40].» L'évêque de Québec, monseigneur Signay, ratifiera cette position dans un autre mandement.

Plus inquiétantes, cependant, se révèlent les réactions des autorités militaires et des dirigeants du Parti bureaucrate. Dans un long développement, l'historien Gérard Filteau défend, avec de nombreuses références à l'appui, sa conviction que le général en chef Colborne et ses alliés, dont Adam Thom, directeur du *Montreal Herald*, se sont concertés pour prendre tous les moyens afin de neutraliser le mouvement patriote et se saisir du moindre prétexte pour le décapiter et mettre fin à ses activités. Et ce prétexte, ce devait être l'assemblée régulière des Fils de la Liberté prévue pour le lundi 6 novembre[41]. Les événements corroborent cette hypothèse.

* * *

Ce 6 novembre, à 14 heures, 500 Fils de la Liberté se rassemblent à l'auberge Vigent, tenue par Giuseppe Bonacina et propriété d'Édouard-Étienne Rodier. L'auberge s'ouvre sur la rue Notre-Dame et sa cour donne sur la rue Saint-Jacques. Les chefs Brown et Ouimet parlent les premiers, suivis de

O'Callaghan, Girod et Rodier ; ils s'adressent d'une galerie de l'auberge aux jeunes regroupés dans la cour.

L'assemblée terminée vers 16 heures, les orateurs, dont Girod, et la plupart des militants quittent par la rue Notre-Dame, tandis qu'une section demeure dans la cour. C'est alors que leurs adversaires du Doric Club, massés sur la rue Saint-Jacques, leur lancent des pierres par-dessus la clôture. Les Fils de la Liberté sortent et réussissent à les refouler jusqu'à la place d'Armes.

Des renforts de part et d'autre transforment le quartier en champ de bataille. Pleuvent les pierres, tournoient les manches de hache, partent les coups de pistolet. Les blessés se multiplient dans les deux camps. La bataille se termine avec l'intervention de la troupe et la lecture de l'acte d'émeute et les combattants se dispersent pour gagner leurs quartiers respectifs. Tous ? Non. Un groupe du Doric Club, en se repliant, tombe sur Thomas Storrow Brown qui rentrait chez lui et le roue de coups de bâtons, dont plusieurs à la tête ; Brown perd connaissance et seule l'intervention de passants permet d'éviter le pire. Dans la soirée, les derniers combattants du Doric Club saccagent l'atelier d'imprimerie du *Vindicator*, rue Saint-Vincent. Enfin, l'armée prend le contrôle du quartier que patrouillent toute la nuit des unités armées[42].

Le général Colborne, de retour de Québec où il était allé s'entretenir avec le gouverneur Gosford, arrive à Montréal le 9 novembre et prend la direction des opérations. Il a son prétexte pour mettre la ville sous la coupe de l'autorité militaire ; il autorise la mise sur pied de dix compagnies de volontaires loyalistes pour appuyer les troupes régulières. L'armée continue à occuper Montréal, avec des détachements d'artillerie aux principaux carrefours.

Le général avait demandé au gouverneur qu'il ordonne l'émission de mandats d'arrêt au nom des responsables du Parti patriote et des Fils de la Liberté. Monseigneur Lartigue, dans une lettre à son homologue de Québec, affirme pour sa part :

> s'il [le gouvernement] fesait arrêter, et qu'il pût retenir légalement en prison, cinq ou six des chefs d'ici, surtout des Étrangers tel que Girod, Brown, les deux Nelson, Joshua Bell, O'Callaghan, tout rentrerait bien vite dans le repos, du moins en ville[43].

Avant de donner suite à la requête de Colborne, le gouverneur termine l'épuration de l'appareil judiciaire en destituant 71 juges de paix dans le district de Montréal, les remplaçant par 23 Bureaucrates confirmés.

Tout est en place pour un affrontement armé.

CHAPITRE SEPTIÈME

La république des Deux-Montagnes

VARENNES, le mardi 14 novembre 1837[1]. Fanny Ainsse est seule à la maison, avec ses deux jeunes enfants, Élisabeth et Napoléon, âgés de quatre et trois ans ; son mari effectue la tournée de ses malades et Françoise, dix ans, est partie à l'école. À la porte arrière, celle qui s'ouvre sur la cuisine, se présentent quatre visiteurs : son beau-frère Amury Girod, Louis-Joseph Papineau, Edmund Bailey O'Callaghan et Jean-Philippe Boucher-Belleville.

La veille, Papineau s'est rendu aux demandes pressantes de sa famille et de ses amis et a décidé de quitter Montréal. Un rumeur de plus en plus persistante circulait : le gouverneur Gosford s'apprêterait à émettre des mandats d'arrêt contre les chefs patriotes, dont plusieurs députés. En fin d'après-midi, à 5 heures, Papineau franchit le seuil de sa maison de la rue Bonsecours et prend place dans sa calèche, avec O'Callaghan à ses côtés. Son neveu Louis-Antoine Dessaulles les accompagne jusqu'à leur sortie de la ville, puis revient chez sa tante Julie qu'il doit conduire chez son frère René-Olivier Bruneau, curé de la paroisse de Verchères ; ils partiront le lendemain matin, vers 7 heures[2].

Papineau et O'Callaghan prennent la route de Pointe-aux-Trembles ; aucun témoignage ne mentionne la présence d'une escorte pour assurer la sécurité du chef du Parti patriote, ce qui, dans les circonstances, dénote une improvisation surprenante. Ils descendent à l'auberge Châtelain où ils retrouvent Boucher-Belleville, aussi en fuite. On se rappelle que le tenancier François Malo est membre du Comité central et permanent et que les patriotes de l'est de l'île de Montréal se réunissent régulièrement dans son établissement.

Dans la nuit[3], vraisemblablement aux petites heures du matin, les trois hommes traversent à l'île Sainte-Thérèse et se rendent chez Girod. Il est absent, mais Zoé les informe qu'il est parti à Varennes pour expédier des semences au marché de Montréal ; ils pourront le joindre à l'auberge Girard, avec les habitués qui attendent le bateau.

Les fugitifs retiennent les services de deux hommes pour franchir en canot le Saint-Laurent jusqu'à Varennes ; ils accostent on ne sait où, sans doute à l'un des chemins de descente qui relient la rue Sainte-Anne au fleuve. À l'auberge Girard, Boucher-Belleville trouve Girod qui cause avec Joseph Cartier, marchand de Saint-Antoine, et quelques autres connaissances. Ne voulant pas attirer l'attention des clients de l'auberge, Boucher-Belleville, en tenant des propos incohérents, presse Girod de le suivre dehors. « Il [est] tellement troublé qu'il [a] l'air le plus ridicule du monde », note Girod qui finit par comprendre et l'accompagne à l'extérieur. Il voit « O'Callaghan tremblant de froid, mais je crois aussi de peur », puis Papineau « l'air absolument différent du premier. Il [est] calme, composé et bien que rien n'échappe à son regard, il ne [laisse] apparaître le plus léger symptôme d'appréhension[4]. »

Rapidement mis au courant des derniers événements, Girod leur propose de poursuivre leurs échanges chez les Duchesnois. Fanny les invite à prendre place autour de la table de la cuisine et retourne à ses affaires domestiques, les deux petits sur les talons.

La discussion s'engage sur la situation à Montréal, la menace de l'émission de mandats d'arrêt et les mesures à prendre, sans que Papineau participe au débat. Boucher-Belleville propose de convoquer une convention générale et de mettre en place un gouvernement provisoire; Girod et O'Callaghan approuvent l'idée, avec le consentement silencieux de Papineau. Comme il s'agit d'un acte de rébellion ouverte, ils conviennent de mobiliser la population et de se procurer des armes et des munitions, avant de prendre une décision finale.

Arrive le docteur Duchesnois qui se joint au groupe; Fanny leur sert à manger, à la vive satisfaction du jeune Boucher-Belleville qui se mourait de faim. Les débats reprennent sur la marche à suivre. Papineau, O'Callaghan et Boucher-Belleville décident d'aller à Saint-Denis rejoindre Wolfred Nelson et invitent Girod à les accompagner; il refuse, préférant se rendre chez le notaire Girouard, à Grand-Brûlé, dans le comté des Deux-Montagnes. Nous manquons de précisions à ce sujet; Papineau signifie-t-il son approbation en donnant à Girod le mandat, implicite ou explicite, de le représenter dans la région au nord de Montréal? Se contente-t-il d'acquiescer en hochant la tête? Cette décision prise rapidement aura des répercussions considérables sur les événements à venir.

Dans la soirée, Papineau monte en voiture avec Duchesnois pour gagner Saint-Marc; une seconde voiture, prêtée par Joseph Cartier, suit avec O'Callaghan et Boucher-Belleville. Rendus à Saint-Marc, « à huit heures du matin[5] », Papineau et O'Callaghan s'installent chez un habitant, tandis que Boucher-Belleville emprunte le bac pour traverser à Saint-Charles. Duchesnois retourne à Varennes.

À la maison l'attendent Rodolphe Desrivières et Henri-Alphonse Gauvin, brigadiers de section des Fils de la Liberté. Ils lui apprennent qu'ont été émis contre les chefs du Parti patriote et les officiers des Fils de la Liberté vingt-six mandats d'arrêt pour crime de haute trahison et actions séditieuses ; eux-mêmes ont réussi à fuir Montréal. Fanny les héberge pour la nuit.

Le lendemain, le vendredi 17 novembre, arrive Thomas Storrow Brown, le commandant des Fils de la Liberté. Il a pu quitter la ville avant d'être arrêté et, après une tentative infructueuse pour traverser à Longueuil, il est parvenu à atteindre l'auberge de François Malo à Pointe-aux-Trembles, d'où il s'est rendu à Varennes. Durant sa chevauchée, se sont rouvertes les blessures à la tête que lui avaient infligées les manifestants du Doric Club le 6 novembre. Duchesnois le soigne au meilleur de ses connaissances ; il l'informe du passage de Papineau et O'Callaghan et le convainc d'aller les rejoindre. Le docteur et ses trois compagnons partent de Varennes pour Saint-Marc. Le lendemain, ils franchissent le Richelieu et, à Saint-Charles, rejoignent Nelson, Papineau et O'Callaghan, ainsi que Charles-Ovide Perrault, député de Vaudreuil, et Timothée Kimber, médecin de Chambly[6].

Pendant ce temps, Girod, le soir du 14 novembre, a pris un canot pour retourner sur l'île Sainte-Thérèse et préparer son départ pour les Deux-Montagnes. Mise au courant de l'évolution alarmante de la conjoncture et des intentions de son mari, Zoé, stoïque bien qu'émue, l'encourage : « Va où ton devoir t'appelle, ne pense pas à moi. J'aimerais mieux te voir mort sur le champ de bataille qu'abandonner la cause de la patrie[7]. » Elle prépare ses bagages pendant qu'il récupère ses armes et munitions. Ils passent leur dernière nuit ensemble, mais cela, ils ne le savent pas.

Le lendemain, il fait ses adieux à Zoé, traverse à Pointe-aux-Trembles et se rend chez Joseph Laporte, chef local du Parti patriote ; il tombe en plein milieu d'un fête à laquelle participent ses amis de Varennes, le notaire Édouard Beaudry et son clerc, Azarie Archambault. Girod se mêle aux danseurs pour se détendre, puis pique une sieste en fin d'après-midi. Le soir, à 9 heures, Beaudry le reconduit à Rivière-des-Prairies chez Robert Turcotte, secrétaire du comité patriote de sa paroisse ; celui-ci l'amène à Sainte-Rose, chez son frère, le curé François-Magloire Turcotte.

Dans une salle du presbytère, le curé et son collègue de Saint-Eustache, Jacques Paquin, commentent les événements, avec d'autres habitants ; Girod refuse de discuter avec Paquin, « connaissant sa conduite précédente et sa récente trahison[8] ». À quoi fait-il allusion ? Mystère. Après le départ de ses invités, le curé Turcotte se tourne vers son frère et son compagnon pour approuver leur engagement à repousser la force par le force, déclaration qui laisse Girod sceptique ; il n'est pas sans savoir que le comité central du comté de Terrebonne, réuni à Sainte-Rose dans l'auberge d'Augustin Tassé le 5 novembre, avait reproché au curé d'avoir ajouté, après la lecture du man- dement de monseigneur Lartigue, des commentaires favo- rables à l'obéissance passive aux autorités légales[9].

Il accepte toutefois de passer la nuit chez son hôte.

C'est vraisemblablement à ce moment que Girod com- mence à rédiger son journal, si précieux pour nous. Il con- signe, au jour le jour et à chaud, ses faits et gestes et les événements survenus, sûrement de façon sélective, mais sans devoir en appeler à sa mémoire ; il écrit en allemand et en italien, pour lui-même, et non pour un éventuel public. Ce document, bien que devant être lu avec les réserves d'usage, présente un net avantage sur les explications et justifications *a posteriori* que produiront ses contemporains.

À 4 heures du matin, Girod quitte Sainte-Rose avec un ami du curé ; la voiture emprunte le pont de bois qui enjambe la rivières des Mille-Îles et prend, à main gauche, la route qui conduit à Rivière-du-Chêne.

* * *

Rivière-du-Chêne, un bourg de 1200 habitants, est le chef-lieu du comté des Deux-Montagnes. Le découpage des circonscriptions électorales a regroupé sur son territoire quatre seigneuries et deux cantons.

À l'extrémité ouest du comté, les cantons de Grenville et de Chatham, peuplés en majorité de colons britanniques, s'étendent sur la rive gauche de la rivière des Outaouais. Vers l'est, on pénètre dans la seigneurie d'Argenteuil, propriété de Christopher Johnson. Le principal village, St. Andrews, s'élève sur la rivière du Nord dont le courant entraîne la turbine d'un moulin à papier, le premier construit au Bas-Canada ; il existe deux autres villages, Carillon et Lachute.

Suit la seigneurie du Lac-des-Deux-Montagnes, partiellement enclavée par celle des Mille-Îles. Elle relève des messieurs de Saint-Sulpice, du séminaire de Montréal ; sur la rive du lac, ils ont établi une mission pour desservir le village indien d'Oka où vivent quelque 500 Nipissingues, Algonquins et Iroquois. Trois paroisses se partagent le reste du territoire : Saint-Benoît, Saint-Hermas et Sainte-Scholastique. La troisième seigneurie, celle de l'île Bizard, à l'extrémité du lac des Deux-Montagnes, est peuplée surtout de cultivateurs ; la famille Foretier en est titulaire, sans y résider.

Enfin, on entre dans la seigneurie des Mille-Îles, la plus importante, avec Rivière-du-Chêne, village de la paroisse Saint-Eustache, et, à l'intérieur des terres vers le nord, Sainte-Thérèse, Saint-Jérôme, New Paisley et Saint-Colomban. La famille Lambert-Dumont en possède les deux tiers et la famille Lefebvre de Bellefeuille l'autre tiers, à l'exception du fief de Blainville, propriété de la famille Monk. Seule la partie occidentale relève du comté des Deux-Montagnes ; l'autre partie, avec Saint-Jérôme et Sainte-Thérèse, est rattachée au comté de Terrebonne qui comprend aussi la seigneurie du même nom, domaine de Joseph Masson, et l'île Jésus, seigneurie des messieurs des Missions étrangères, du séminaire de Québec.

Le bourg de Rivière-du-Chêne doit son vocable au cours d'eau qui le traverse et se jette dans la rivière des Mille-Îles. Au centre s'ouvre la grande place bordée sur ses côtés par l'église et le presbytère, le manoir seigneurial de Charles Lambert-Dumont et le tout neuf couvent des religieuses, encore inhabité.

La place donne sur la rue principale où s'élèvent les maisons de la bourgeoisie locale : notaires, médecins, marchands, aubergistes. Les artisans et journaliers habitent dans une demi-douzaine de rues secondaires de part et d'autre de la rivière que franchissent deux ponts en pierre.

Le camp loyaliste domine la vie sociale et contrôle les activités économiques des lieux. À sa tête, le clan Lambert-Dumont possède deux moulins à bois et trois moulins à farine aménagés sur les rivières qui irriguent la seigneurie, plus l'imposant complexe construit à la décharge du lac des Deux-Montagnes qui regroupe deux scieries, une minoterie, un moulin à carder et un autre à fouler. Charles Lambert-Dumont a confié l'administration de la seigneurie à Frédéric-Eugène Globensky, notaire de l'endroit. Les frères et sœurs de la famille Globensky constituent le second clan en importance. Outre Frédéric-Eugène, mentionnons : Maximilien, capitaine de milice, et Hubert qui gèrent des magasins généraux ; Augustine, qui s'est mariée avec Stephen MacKay, notaire et major de milice à Saint-Eustache, et Hortense, épouse de Guillaume Prévost, notaire à Sainte-Scholastique.

Complètent le camp loyaliste la famille d'Antoine Lefebvre de Bellefeuille devenu co-seigneur des Milles-Îles par son mariage avec Angélique Lambert-Dumont ; le médecin James Bowie, le marchand James Gentle, l'aubergiste et maître de poste David Mitchell. Parmi leurs alliés, Jacques Paquin et François-Xavier Desèves, curé et vicaire de la paroisse Saint-Eustache, manifestent ouvertement leurs appuis aux tenants de la paix et de l'ordre.

Minoritaires au village, les Réformistes comptent leurs partisans parmi les cultivateurs et les artisans des concessions rurales des « rangs », qu'on appelle ici « côtes » : la Grande-Côte et le Chicot en aval, la côte Saint-Joseph et celle du Lac en amont, la Fresnière et la Petite-Rivière dans l'arrière-pays. Le marchand et député William Henry Scott, le docteur Jean-Olivier Chénier et le notaire Joseph-Amable Berthelot assurent la direction de la section locale du Parti patriote.

Lorsqu'il parvient au village, le 16 novembre à 9 heures du matin, Girod se rend directement chez Chénier dont la maison s'élève sur une pointe au-delà du premier pont, sur la rive droite de la rivière du Chêne, à son confluent avec la rivière des Mille-Îles. Girod se réjouit d'entendre le médecin condamner « avec violence les mesures d'oppression du gouvernement », bien qu'il estime « qu'il parle trop et cela lui enlève son mérite[10] ». Natif de Lachine, en 1806, Chénier a épousé Zéphirine, fille du médecin et député Jacques Labrie qui a siégé dans les rangs du Parti patriote jusqu'à son décès en 1831.

Dans l'après-midi, le député Scott se joint à Girod et Chénier ; il arrive de Montréal où il a conféré avec Papineau le 13 novembre et s'est inquiété des intentions des habitants de la vallée du Richelieu de prendre les armes[11]. Girod ne l'aime pas : « Il a dans toutes ses actions cette apparence trompeuse de sincérité qui n'est qu'un masque pour cacher son abominable fausseté[12]. » William Henry Scott, né en Écosse en 1799, s'est établi vers 1825 à Rivière-du-Chêne où il a ouvert un magasin général. Les habitants l'ont choisi député lors d'une élection complémentaire en 1829 ; réélu en 1830 et 1834, il siège avec les membres du Parti patriote.

Les trois hommes discutent encore lorsque se présente Jean-Baptiste Dumouchel venu de Grand-Brûlé annoncer que Jean-Joseph Girouard a accueilli Chevalier de Lorimier, secrétaire du Comité central et permanent, et son frère cadet

Chamilly, brigadier de section des Fils de la Liberté, qui ont fui Montréal la veille pour se réfugier chez leur sœur qui habite à la sortie du village ; Gédéon, leur benjamin âgé de dix-neuf ans, étudiant en médecine, les suivra de peu. Selon les dernières nouvelles, des officiers de justice ont procédé aux premières arrestations à Montréal ; se retrouvent en prison André Ouimet, président des Fils de la Liberté, Georges Boucher de Boucherville, le secrétaire, et deux brigadiers de section, Amable Simard et François Tavernier.

Dans la soirée, Girod et Dumouchel parcourent la vingtaine de kilomètres qui séparent Rivière-du-Chêne de Grand-Brûlé qu'ils atteignent à 11 heures. « Enfin, dans ce pays hospitalier je me sentis mieux » écrit Girod. « Non seulement les chefs, mais tous les habitants sont prêts à faire le sacrifice de leurs biens et de leur vie pour défendre la liberté du Canada. Comme à son ordinaire, Girouard a donné tout son cœur et son âme pour la défense de son pays et de ses amis[13]. » Le notaire Girouard, beau-frère de Dumouchel, a succédé au député Jacques Labrie en 1831 et a été réélu comme candidat réformiste en 1834 avec William Henry Scott. Il jouait un rôle effacé à la Chambre d'assemblée, dans l'ombre de son ami Augustin-Norbert Morin, député de Bellechasse.

Construit sur les rives de la rivière Prince, au cœur de la paroisse Saint-Benoît, le village de Grand-Brûlé constitue le château-fort du Parti patriote du comté ; sa population s'élève à 600 habitants. En partent les routes qui conduisent à Sainte-Scholastique au nord et à Saint-Hermas à l'est, puis, à St. Andrews. Habitent le village le notaire et député Jean-Joseph Girouard, le marchand Jean-Baptiste Dumouchel, le médecin Luc-Hyacinthe Masson, le notaire Félix Lemaire, l'aubergiste Louis Coursolles, le marchand James Watts, tous membres du comité central des Deux-Montagnes. Girod se retrouve en pays connu : c'est là qu'il a passé une semaine en octobre de l'année précédente, à l'invitation de Girouard.

Le comité central de 42 membres a vu le jour lors de la grande assemblée du 1er juin à Sainte-Scholastique. En plus des délégués de Saint-Eustache et de Saint-Benoît, nous retrouvons, entre autres : de Sainte-Scholastique, Jacob Barcelo ; de Saint-Colomban, John Ryan ; de Saint-Hermas, Laurent Aubry ; de Carillon, Alexis-Édouard Monmarquet ; de l'île Bizard, Thomas Breyer de Saint-Pierre. À l'instar des autres comités centraux, ses membres élisent un président à chaque réunion ; deux secrétaires permanents, le notaire Félix Lemaire et le marchand James Watts, assurent les suivis entre les séances et transmettent les procès-verbaux rédigés en français et en anglais à *La Minerve* et au *Vindicator*. Le comité central siège généralement à Grand-Brûlé, et à l'occasion dans un autre village.

Au fil des semaines et des mois, le comité central a radicalisé ses prises de positions jusqu'à se substituer au pouvoir de l'État dans le comté. Au début d'octobre, on peut lire dans *Le Populaire* : « Ainsi, voici une partie du pays qui se détache moralement et effectivement du gouvernement. Un comité permanent prend l'administration de la justice et l'administration militaire du Lac des Deux-Montagnes[14] ».

* * *

La rupture s'est effectuée progressivement. Au cours de l'été, des agitateurs patriotes se livrent à des mesures d'intimidation à l'endroit des loyalistes et de leurs alliés chouayens ; elles se limitent en général au traditionnel charivari, dont l'objectif social cède la place à un objectif politique. Manifestation publique et bruyante, généralement nocturne, le charivari cherche à importuner et à ridiculiser les habitants dont le comportement est jugé déviant par rapport aux normes acceptées.

S'ajoutent ici et là des actes de vandalisme : bris de clôture, récoltes endommagées, chevaux dont on coupe la queue et rase la crinière. Plus sérieux, ostracisme et boycottage frappent quelques-uns. À Grand-Brûlé, le forgeron Donald McColl se retrouve sans clientèle ; son père, qui gère une petite industrie de potasse, voit se tarir ses sources de matière première[15]. Les activistes ne traversent toutefois pas la frontière qui sépare les malices et autres méfaits de la violence physique. S'ils profèrent des menaces de sévices contre des loyalistes et leurs familles ou d'incendie de leurs bâtiments, les auteurs ne passent pas aux actes. Deux exceptions méritent d'être relevées.

En juin, quatre individus enfoncent la porte de la maison de Robert Hall, cultivateur de Sainte-Scholastique, et bombardent de pierres les vitres des fenêtres qui volent en éclats ; Hall se réfugie à Montréal avec sa famille et, dans une déposition assermentée, dénonce ses assaillants[16]. L'autre cas est plus grave à cause de l'utilisation d'armes à feu. Au début de juillet, des balles fracassent les carreaux des maisons de deux cultivateurs de Saint-Eustache, les frères Joseph et Eustache Cheval, ce dernier capitaine de milice ; des morceaux de verre blessent une enfant[17].

L'adjoint du procureur général du Bas-Canada reçoit les plaintes des victimes et engage des procédures au criminel ; il ordonne l'arrestation des quatre hommes désignés par Hall et offre une récompense de 100 livres à quiconque fournira des renseignements permettant d'identifier les agresseurs des frères Cheval.

Le 13 juillet, le grand connétable de police, Benjamin Delisle, et l'adjoint du shérif, Édouard-Louis-Antoine Duchesnay, accompagnés d'un sergent et de ses deux acolytes, quittent Montréal avec les mandats d'arrêt au nom des individus dénoncés par Hall. Dans la côte Saint-Joseph de la paroisse Saint-Eustache, les hommes réussissent à mettre la main au collet de l'un d'entre eux, François Labelle, mais doivent rebrousser chemin devant le comportement hostile des habitants; ils parviennent à prendre le traversier pour gagner la rive sud de la rivière des Mille-Îles avant que des miliciens de Grand-Brûlé puissent les intercepter et libérer le prisonnier[18].

Le même jour, deux huissiers de Montréal se pointent avec les affiches annonçant l'offre de récompense dans l'affaire Cheval. À Grand-Brûlé, le médecin Masson et l'aubergiste Coursolles les empêchent d'en coller une sur la porte de l'église; devant leurs menaces, les deux hommes de loi renoncent à poursuivre leur route à Sainte-Scholastique et Saint-Hermas et retournent à Montréal, sans avoir accompli leur mission.

L'expulsion d'officiers de Sa Majesté illustre bien le début d'une remise en question de l'autorité légale, quoiqu'elle témoigne plus d'une résistance spontanée à une opération de police que d'une stratégie concertée. Le comité central, réuni à Saint-Hermas le 16 juillet, apporte sa caution et franchit une nouvelle étape en décrétant de prendre «des mesures effectives pour repousser toute agression[19]» si se concrétise la rumeur que les officiers Delisle et Duchesnay reviendraient exécuter leurs mandats d'arrêt avec un détachement de l'armée. Premier pas vers la rébellion ouverte.

Le Parti bureaucrate ne s'y trompe pas et invite le gouverneur à mettre fin à ce que nous appellerions aujourd'hui une «insurrection appréhendée»; sinon, les loyalistes prendront les choses en main. «Nous savons de science certaine que, si les troupes ne marchent pas contre les insurgés, ou réels ou supposés, du Lac des Deux-Montagnes, un grand nombre de Bretons [d'Anglais] sont décidés, dans quelques jours, d'aller secourir leurs frères et de tirer vengeance des insultes dont le pavillon et les sujets britanniques sont les objets[20].»

Affirmation gratuite, non fondée. Aucun groupe de volontaires loyalistes ne quittera Montréal pour les Deux-Montagnes. Quant à l'armée, le gouverneur Gosford n'entend ordonner aucune manœuvre susceptible de compromettre la rentrée parlementaire du 18 août.

Le comité central du comté aborde le 1er octobre une phase décisive vers l'autonomie administrative de la région. Réuni à Grand-Brûlé, il s'engage à mettre sur pied un système judiciaire souverain et une milice indépendante.

À toutes fins utiles, la totalité des magistrats, juges de paix et commissaires des petites causes, ont été démis de leurs fonctions ; à Rivière-du-Chêne, la nomination de John Earle, un unilingue anglais, est perçue comme une insulte qui s'ajoute à l'injustice des révocations. Situation identique dans la milice : le 3e bataillon, dont le lieutenant-colonel Ignace Raizenne a été destitué en juillet, n'existe plus ; le commandant du 1er bataillon, Jean-Baptiste Laviolette, n'a ni capitaines ni lieutenants à qui donner des ordres. Seuls quelques officiers d'origine anglaise ont conservé leurs grades dans le 2e bataillon sous l'autorité d'un nommé Hertel.

Prenant acte que la population de Saint-Hermas, de Saint-Benoît, de Sainte-Scholastique et de Saint-Eustache se retrouve privée de magistrats et d'officiers de milice chargés d'assurer l'ordre public, le comité central, en vertu de « l'autorité que le peuple lui a confiée », entend mettre fin à cet « état de désorganisation ». Il invite les habitants à s'assembler pour élire « à la majorité des voix, trois ou un plus grand nombre de personnes sages et discrètes, dans chacune des dites paroisses, pour remplir les charges de juges de paix et d'amiables compositeurs ». La résolution, rédigée sous la forme d'un décret, comprend cinq sections et dix-neuf articles[21].

Les juges élus, pour un mandat d'une année, formeront des « tribunaux d'honneur et de conciliation » pour régler les différends entre les citoyens et se prononcer sur toutes les plaintes portées devant eux. Le comité central se réserve la faculté de destituer ceux qui ne rempliront pas les charges de leurs fonctions, par absence, négligence ou autre cause. La partie insatisfaite d'un jugement pourra en appeler au comité central dont la décision sera finale. Si la gravité d'une cause l'exige, un jury de cinq à onze citoyens prononcera le verdict et cette décision sera sans appel.

Les juges de paix et amiables compositeurs se regrouperont dans un conseil de magistrature pour adopter des règles de procédure, sujettes à ratification par le comité central. Des registres des verdicts et des jugements seront tenus par un greffier dans chaque paroisse. Juges et greffiers ne toucheront pas d'honoraires.

La cinquième section du décret prévoit diverses sanctions pour les citoyens qui porteront atteinte à l'autorité des juges et entraveront le bon fonctionnement des tribunaux populaires. Ainsi, les fautifs « ne pourront voter dans aucune assemblée publique, ni être élu par les réformistes à aucune charge ; et, s'ils sont membres du comité [central] ou de comités locaux, ils n'y pourront plus siéger ».

À cette même réunion, le comité central décide que « les Réformistes se formeront dans chaque paroisse en corps de milice volontaire sous le commandement d'officiers élus par les miliciens, et seront exercés au maniement des armes et aux évolutions et mouvements de troupes légères ». Les capitaines devront régulièrement informer le comité central de l'état de leurs compagnies ; le comité central s'engage à leur fournir « des armes et accoutrements dont [elles] pourraient manquer. »

Les habitants, assemblés le dimanche 15 octobre, à deux heures de l'après-midi, au lieu-dit du pont Saint-Joachim, dans la paroisse de Sainte-Scholastique, confirment les pouvoirs du comité central, « autorité légitime émanant du Peuple à laquelle tout Réformiste doit déférer ». Ils ratifient les décisions prises et élisent 22 juges de paix et amiables compositeurs, en majorité des magistrats ou des commissaires des petites causes destitués par le gouverneur[22].

Fin octobre et début novembre, les Réformistes se réunissent dans les villages et dans les côtes des concessions agricoles pour élire leurs officiers et former leurs compagnies. Là encore, la majorité des capitaines et des lieutenants détenaient leurs grades jusqu'à leurs révocations ou leurs démissions.

Le comité central tient trois réunions rapprochées : le 22 octobre, les 5 et 12 novembre. Le notaire Girouard soumet «un plan d'organisation communale pour le comté» dont nous ignorons les détails. Est créé «un comité des voies et moyens» chargé particulièrement de la correspondance avec les autres comtés «qui se sont organisés pour la défense et la protection du peuple». Un «comité des affaires militaires et des routes» doit s'occuper de l'approvisionnement des compagnies et des liaisons entre les paroisses.

Nous pouvons comprendre que Girod ait été attiré par cette république en gestation. Reste à nous demander pourquoi Louis-Joseph Papineau a préféré gagner la vallée du Richelieu. En août, les loyalistes lui avaient prêté l'intention de quitter Montréal pour s'établir à Grand-Brûlé :

> Nous savons que Papineau a résolu de porter son quartier général d'insurrection dans cette partie du pays qui a déjà donné de si tristes preuves de dévouement à la cause de la révolte. On attendait la fin de la session pour commencer un grand plan d'organisation du gouvernement provisoire de Papineau[23].

Le 29 septembre, Papineau, avec son fils Amédée, s'est effectivement rendu à Grand-Brûlé où il a passé la nuit chez Jean-Baptiste Dumouchel ; il était en route pour sa seigneurie de la Petite-Nation afin d'assister au mariage de sa nièce, la fille de Denis-Benjamin. Après un séjour d'une dizaine de jours, le 9 octobre, le père et le fils ont quitté les lieux et se sont de nouveau arrêtés dormir chez Dumouchel, après avoir soupé chez Jean-Joseph Girouard. Le lendemain, à Rivière-du-Chêne, ils ont dîné chez Jean-Olivier Chénier[24].

Bien au fait de la situation dans les Deux-Montagnes et mis au courant des projets du comité central, Papineau en a retenu le modèle pour les autres comtés. C'est sûrement avec son accord, sinon à sa demande, que Louis Lacoste, député de Chambly, a présenté, à la grande assemblée de Saint-Charles des 23 et 24 octobre, la quatrième résolution invitant toutes les paroisses « à élire des juges de paix et amiables compositeurs et des officiers de milice » et décrétant « que pour leur élection et juridiction, les règlements du comté du lac des Deux-Montagnes soient provisoirement adoptés ».

Le 13 novembre, en quittant Montréal, après sa rencontre avec le député William Henry Scott, Papineau ne pouvait ignorer les derniers développements et le plan d'organisation de Girouard. De plus, la région, dotée de frontières naturelles, offre une relative sécurité ; contrairement à la vallée du Richelieu où cantonnent les garnisons de Sorel, Chambly et Saint-Jean, le nord de Montréal est dépourvu de troupes de l'armée britannique, à l'exception de Carillon où le général Colborne a dépêché de Kingston une compagnie du 24e régiment d'infanterie. Alors pourquoi le tribun canadien a-t-il préféré Saint-Denis à Grand-Brûlé ?

Avançons quelques explications. C'est à Saint-Ours et à Saint-Charles que le Parti patriote a défini les grandes lignes de son programme d'action. La famille de Papineau et celle de sa femme habitent la région ; deux de ses garçons sont pensionnaires au collège de Saint-Hyacinthe et les autres enfants ont accompagné leur mère pour se réfugier à Verchères. C'est vers Wolfred Nelson, à Saint-Denis, que se tournent spontanément les Thomas Storrow Brown, Charles-Ovide Perrault, Cyrille-Hector-Octave Côté et autres leaders. C'est dans la vallée du Richelieu que se prendront les grandes décisions et non pas dans cette république des Deux-Montagnes à l'avenir incertain, bien loin de la frontière américaine.

* * *

Girod choisit de se fixer à Grand-Brûlé et accepte l'hospitalité de Girouard qui le loge et le nourrit[25]. Durant la première semaine, du 16 au 23 novembre, il participe à de multiples séances de discussion avec les dirigeants locaux. Il se rend régulièrement à Rivière-du-Chêne conférer avec Scott et Chénier. Il prend vite conscience que, dans leur village respectif, les deux députés jouissent d'une grande influence, dirigent les débats et orientent les décisions ; ni l'un ni l'autre n'envisage de prendre l'offensive.

Girouard prescrit des mesures préventives. Il mobilise les miliciens pour organiser la défense du village et résister à une éventuelle attaque des troupes britanniques ; il charge une équipe de terrassiers d'élever des retranchements dans la côte de l'Éboulis qui conduit à la route du lac et de construire une redoute dans celle de Saint-Pierre qui mène à Saint-Hermas. Pour sa part, Scott exprime une position attentiste et estime prématurée toute initiative ; il préfère prendre le temps nécessaire pour s'organiser et attendre l'arrivée de l'hiver pour se procurer des armes aux États-Unis. Chénier partage son point de vue, au grand regret de Girod.

Le 17 novembre, les officiers élus de Saint-Eustache se réunissent dans une salle du presbytère, convoqués par Chénier. Au terme de la rencontre qui porte sur les mesures à prendre contre une éventuelle intervention de l'armée, Scott et Chénier acceptent de prendre la direction des opérations, le premier avec le grade de lieutenant-colonel, le second avec celui de major. Ce même jour, Girod, qui n'a pas été invité à cette assemblée, consacre son énergie à entraîner les capitaines et lieutenants de Saint-Benoît.

Il reste convaincu de la nécessité d'une stratégie offensive pour diminuer la pression qui s'exerce sur les patriotes du sud de Montréal. Mais, sans statut, ni mandat, il n'a aucune autorité pour imposer ses vues ; il n'a d'autre choix que de chercher à influencer les chefs du comité central. L'occasion se présente le 18 novembre. Girouard et lui ont rejoint Scott et Chénier à Rivière-du-Chêne pour faire le point; dans l'après-midi, ils apprennent «que des officiers de police, escortés par un important détachement de soldats, étaient en route pour venir arrêter Scott, Chénier et d'autres personnes[26]».

Girod s'offre pour prendre la tête des miliciens et marcher sur l'ennemi pour le forcer à rebrousser chemin. Scott refuse: «Pour rien au monde, il ne voudrait que ses amis fussent livrés pour être massacrés»; il suggère de consulter Papineau au préalable, ce qui s'appelle une mesure dilatoire. Comme pis-aller, Girod propose d'amener tous les bateaux de la rivière des Mille-Îles sur la rive nord et de détruire le pont Porteous qui enjambe la rivière à la hauteur de Sainte-Rose «pour gagner du temps et pouvoir aviser nos amis aussitôt que l'ennemi paraîtra sur l'autre rive». Après une longue discussion qui dure «plus de cinq mortelles heures», Scott et Chénier donnent leur approbation à la récupération des bateaux, mais s'opposent à la destruction du pont[27].

Pendant que Girod assiste, impuissant et frustré, à ces tergiversations, les premiers habitants du nord à prendre l'offensive résident à Saint-Jérôme, dans le comté de Terrebonne. Le 20 novembre, le capitaine Jérôme Longpré et ses 25 miliciens lancent une attaque sur New Paisley, petit village peuplé d'Écossais loyalistes; ils risquent éventuellement de menacer les arrières des troupes patriotes lorsqu'elles manœuvreront vers le sud. Les hommes envahissent la place et ne rencontrent aucune résistance; ils frappent aux maisons des colons et requisitionnent leurs armes à feu. La petite troupe regagne Saint-Jérôme avec son butin, 39 fusils, et fête sa victoire à l'auberge du loyaliste Scott forcé d'offrir une tournée générale à ses frais[28].

Le mardi 21 novembre, dans la soirée, arrive à Grand-Brûlé le jeune Azarie Archambault; le docteur Eugène-

Napoléon Duchesnois l'a dépêché pour porter à Girouard des nouvelles de Saint-Denis où l'état-major du Parti patriote a décidé de convoquer une convention générale le 4 décembre, à Saint-Charles. Le député Charles-Ovide Perrault a rédigé et imprimé une circulaire, avec une lettre de couverture signée de sa main, à l'intention des comités centraux des divers comtés. Des courriers ont été expédiés dans toutes les directions prévenir les responsables locaux[29].

Archambault a quitté Varennes la veille et pris la route du nord en passant par l'île Sainte-Thérèse où Zoé Ainsse lui a remis une lettre pour son mari, puis s'est rendu à Rivière-des-Prairies chez Joseph Monarque ; les deux hommes ont effectué à pied le reste du parcours, par des voies détournées, hors des chemins battus. Archambault remet à Girod la lettre de sa femme dans laquelle « Elle [l'] assure de la détermination des habitants de la Pointe-aux-Trembles » et l'informe du départ de Duchesnois pour Saint-Denis ; elle lui signale les démarches du notaire Alexis Pinet et du marchand Aimé Massue « pour arrêter les progrès de l'insurrection ». Ceux-ci ont rencontré, à Montréal, le député de Terrebonne, Louis-Hippolyte La Fontaine, qui a pris ses distances avec le Parti patriote. Malgré une première démarche infructueuse auprès du gouverneur Gosford, La Fontaine persiste à croire en la nécessité de réunir la Chambre d'assemblée pour empêcher que la situation ne dégénère davantage et il a rédigé une pétition en ce sens ; il a chargé Pinet et Massue de recueillir des signatures à Varennes[30].

Archambault remet les documents de Perrault à Girouard qui convoque le comité central pour le surlendemain. Le jour venu, le 23 novembre, à dix heures du matin, « tous les chefs des différentes paroisses du comté se [trouvent] réunis dans une immense salle du village », souligne Archambault. Pendant qu'à Saint-Denis les Patriotes de Wolfred Nelson affrontent et repoussent les troupes du colonel Gore, Girouard donne lecture de la lettre de Perrault et de la convocation de la convention générale. Les membres du comité central désignent Girouard et Girod pour représenter le comté. Puis, Archambault prend la parole pour décrire la situation dans la vallée du Richelieu; il écrit qu'il a présenté «les faits du Sud qui n'étaient pas encore parvenus à la connaissance de nos amis du Nord, notre organisation et nos forces. L'enthousiasme était à son comble[31] ».

Chevalier de Lorimier propose alors de nommer Girod général de l'armée du Nord. Que le secrétaire du Comité central et permanent de Montréal soit l'auteur de cette motion lui confère un caractère quasi officiel; implicitement, il agit au nom de Papineau et de la direction du Parti patriote. Le comité central du comté approuve cette nomination et désigne Chénier comme lieutenant-colonel, en remplacement de Scott parti se réfugier chez son frère Neil, à Sainte-Thérèse.

Le comité central siège toujours lorsqu'un messager remet à Luc-Hyacinthe Masson un sommation signée Glasgow, capitaine au 24e régiment. Ce 24e régiment est celui dont le général Colborne a dépêché une compagnie à Carillon; par contre, celle du capitaine John Glasgow est toujours stationnée à Montréal. Qu'importe.

Glasgow exige que lui soient livrés Girouard, Girod, Chénier, Dumouchel et Masson, sinon il marchera sur Grand-Brûlé et rasera le village. Tumulte général au sein du comité central. Girouard demande à ses compagnons s'ils veulent se constituer prisonniers ou s'ils sont résolus à se défendre; lui-même n'a pas d'objection à se rendre, mais il est prêt à rester avec eux. Tous, avec l'approbation générale, entendent résister à l'ultimatum. Masson affirme qu'il est «prêt à se défendre jusqu'à la dernière goutte de son sang[32] ».

Le tout nouveau général Girod donne immédiatement des ordres pour repousser l'attaque de Glasgow. Elle n'aura pas lieu. Cette menace n'était qu'une plaisanterie du docteur Forbes, un loyaliste de Sainte-Geneviève, en visite chez son collègue et ami Luc-Hyacinthe Masson ; Forbes lui envoie un second message pour s'expliquer. Girod commande à Chevalier de Lorimier et Jean-Baptiste Brien, médecin de Saint-Martin, sur l'île Jésus, de se rendre chez Masson, arrêter le farceur et le ramener pour le traduire devant une cour martiale ; le tribunal, qui siège dans l'étude du notaire Girouard, le condamne à verser un fusil et un baril de poudre à la cause patriote.

Le procès se serait déroulé dans les formes, si Girod, dans un mouvement d'humeur, n'avait giflé l'accusé[33]. Geste maladroit, inutile et répréhensible qui n'est pas sans rappeler celui qu'il a posé à l'endroit de Sabrevois de Bleury l'année précédente. Son caractère impulsif et sa propension à la colère ne l'aideront pas à assurer son autorité sur l'armée du Nord.

CHAPITRE HUITIÈME

Le général de l'armée du Nord

Cette armée du Nord dont Girod prend le commandement, quelle est-elle, que peut-elle être ?

Pour l'instant, elle se limite aux officiers de milice élus au début du mois dans les quatre paroisses du comté des Deux-Montagnes. Une demi-douzaine de capitaines à Saint-Eustache, quatre ou cinq à Saint-Benoît, trois à Sainte-Scholastique, un à Saint-Hermas, et un nombre indéterminé de lieutenants ; ensemble, ils peuvent potentiellement mobiliser un millier d'hommes. Dans le comté voisin de Terrebonne, quelque 500 hommes des paroisses de Sainte-Rose, de Sainte-Thérèse, de Saint-Jérôme et de Sainte-Anne-des-Plaines pourront porter l'effectif à 1500.

Sans formation militaire, encore moins d'expérience, seul un ascendant naturel permet à un capitaine de recevoir la confiance de ses miliciens et d'exercer son autorité. Les lieutenants, parfois désignés, parfois élus, apportent la caution morale de leur âge et de leur état de père de famille. Les troupes virtuelles comprennent moitié-moitié des cultivateurs ou leurs fils, et des artisans, des marchands, des journaliers. Volontaires sincères pour la plupart, ils accepteront difficilement l'encadrement et la discipline et seront peu enclins à mourir pour la patrie dont ils n'ont qu'une vague notion ;

ceux qui doivent subvenir aux besoins d'une famille et entretenir des animaux refuseront de quitter leur maison pendant plusieurs jours. Une faible majorité dispose d'armes à feu et guère de munitions.

Ces troupes, il faudra les nourrir, les loger et les chauffer ; les pourvoir de pierres à fusil, de poudre et de balles ; leur trouver des armes, le cas échéant. À ces problèmes d'intendance s'ajouteront la nécessité d'un entraînement minimal et l'obligation d'assurer l'ordre. Girod consacrera beaucoup d'énergie à ces questions.

Une autre préoccupation retiendra son attention : se doter d'un état-major pour assurer la liaison avec les capitaines de compagnie, coordonner les opérations et transmettre les ordres.

Bien que nommé général par le comité central des Deux-Montagnes, Girod ne dispose pas de l'autorité requise pour imposer ses décisions ; il sera contraint d'obtenir l'accord du pouvoir politique qui lui échappe. Or, le comité central ne se réunira plus et le comité des affaires militaires et des routes mis en place au début de novembre ne jouera aucun rôle effectif. Girod recherchera l'aval de ce qu'il qualifiera de conseil de guerre, structure informelle bien que décisionnelle ; ce conseil réunira les politiques, ceux qui exercent une influence décisive dans leurs communautés locales : Girouard et Dumouchel à Grand-Brûlé, Barcelo à Sainte-Scholastique et Chénier à Rivière-du-Chêne. Le curé de Saint-Benoît, l'abbé Étienne Chartier, participera aux délibérations.

L'armée du Nord affrontera trois forces de nature fort différente. La principale, l'ennemi, c'est-à-dire l'armée britannique, ne représente pas de menace immédiate ; elle manœuvre, pour l'essentiel, dans la vallée du Richelieu, pour réduire l'armée du Sud. La seconde force regroupe les adversaires, loyalistes et chouayens de toutes catégories, éventuellement dangereux s'ils décident de prendre les armes contre les Patriotes, surtout à Rivière-du-Chêne, leur place-forte ; ils forment ce qui au siècle suivant s'appellera la « cinquième colonne ».

La troisième force rassemble les neutres et patriotes dissidents, aux motivations multiples. Certains, dont le député William Henry Scott et le capitaine Émery Féré, s'opposeront à tout affrontement armé et tenteront d'empêcher la mobilisation des miliciens ; ils recevront l'appui des curés Paquin, de Saint-Eustache, Belleau, de Saint-Hermas, et Turcotte, de Sainte-Rose, par conviction ou par obéissance à l'autorité épiscopale. Leurs collègues de Sainte-Scholastique, le curé Bonin, de Sainte-Thérèse, le curé Ducharme et, de Sainte-Anne, le curé Poirier, manifesteront leur neutralité et éviteront de prendre parti. Des notables prendront leurs distances, tels le notaire Joseph-Amable Berthelot et le marchand James Watts, ci-devant membres du Comité central des Deux-Montagnes.

Au départ, le nouveau général sous-estime les difficultés qui l'attendent. Étranger à la région, il évalue mal la situation et s'imagine pouvoir embrigader rapidement les habitants. Il oublie que résister par les armes aux arrestations des chefs patriotes et s'engager dans une insurrection ouverte sont deux choses et que le passage de l'une à l'autre traverse une frontière que beaucoup hésiteront à franchir.

Girod tentera de convaincre les politiques que l'initiative assure le succès et reste le meilleur moyen de garder le contrôle de la situation. Prendre l'offensive permettrait d'atteindre trois objectifs : mobiliser les miliciens par des opérations concrètes ; réduire les problèmes d'intendance amplifiés par l'inaction des troupes ; forcer l'ennemi à disperser ses forces. Les politiques partagent une autre vision.

Girouard, tout-puissant à Grand-Brûlé, prône une stratégie défensive ; comme Zandra « au fort de Belonzio qui domine la plaine d'où l'ennemi viendra[1] », il garde les yeux tournés vers l'ouest, vers St. Andrews et Carillon. L'objectif premier de Chénier vise à éliminer la menace que représentent les loyalistes de Rivière-du-Chêne. À Sainte-Scholastique, Barcelo n'a pas le prestige des deux premiers pour s'imposer d'emblée dans sa paroisse auprès des autres capitaines. Par ailleurs, Saint-Hermas ne répond plus; les miliciens du capitaine Laurent Aubry ne rallieront pas l'armée du Nord.

Général depuis vingt-quatre heures, Girod a l'occasion d'exprimer son point de vue lorsque Féréol Peltier et Richard Hubert, deux jeunes avocats de Montréal, parviennent à Grand-Brûlé le vendredi 24 novembre, à 10 heures du soir. Ils annoncent la victoire de Wolfred Nelson et des Patriotes à Saint-Denis et la retraite du régiment du colonel Gore sur Sorel; selon eux, « 197 soldats avaient été tués et 6 faits prisonniers. On avait pris 3600 cartouches, 6 barils de poudre et 3 pièces de campagne[2] ».

Auparavant, Girod avait reçu une message de Robert Nelson, le frère de Wolfred, qui affirmait que « la ville [Montréal] était dans un état d'affolement extrême, qu'il n'y avait pas ou peu de troupes et que son frère et ses amis comptaient faire une diversion de ce côté-là du fleuve[3] ». Il note dans son journal avoir envoyé Azarie Archambault à Montréal porter une réponse à Robert Nelson lui annonçant son intention d'attaquer la ville. Archambault, lui, écrit être parti de Grand-Brûlé le vendredi matin, donc avant l'arrivée de Hubert et Peltier, avec Joseph Monarque qu'il laisse à Rivière-des-Prairies; c'est auprès de Wolfred Nelson qu'il se rend, à Saint-Denis qu'il atteindra le samedi 25 novembre, jour de la bataille de Saint-Charles[4]. Le jeune clerc de notaire s'est-il trompé de Nelson? Indépendamment de cet imbroglio, le projet d'une opération sur Montréal se défend.

La défaite de Saint-Denis laisse le général Colborne décontenancé; craignant que le colonel Wetherall subisse un sort identique à Saint-Charles, il expédie deux messagers lui porter la consigne d'interrompre sa marche et de se replier sur Montréal avec ses troupes. Une patrouille commandée par Édouard-Élisée Malhiot les intercepte et les retient prisonniers, si bien que Wetherall ne recevra pas l'ordre de retraite. On sait que, le lendemain, il attaque Saint-Charles et met en déroute les troupes de l'armée du Sud qui laissent sur place des dizaines de morts, de blessés et de prisonniers[5].

La suite des événements a autorisé plusieurs historiens à conclure à une erreur stratégique de l'état-major patriote ; selon eux, il eût mieux valu laisser le message parvenir à Wetherall pour éviter le désastre de Saint-Charles. Cela nous semble une mauvaise interprétation *a posteriori*.

Dans l'euphorie de la victoire de Saint-Denis, l'importance des forces patriotes présentes à Saint-Charles permet d'envisager un second succès. Au point que le général de l'armée du Sud, Thomas Storrow Brown, refuse l'offre de Wolfred Nelson de lui envoyer des renforts et que le capitaine Toussaint-Hubert Goddu, un charpentier de Saint-Césaire, au lieu de prendre à revers les troupes de Wetherall, conduit sa centaine d'hommes en amont du champ de bataille pour mieux décimer les forces ennemies lorsqu'elles se retireront en désordre après leur défaite anticipée[6].

Dans cette optique, la décision de laisser le colonel Wetherall dans l'ignorance de l'ordre de repli s'explique : forcer l'affrontement à Saint-Charles, avec un bel optimisme de victoire ; abattre l'assurance déjà ébranlée du général Colborne et de ses officiers supérieurs ; ouvrir un second front par une descente de l'armée du Nord sur Montréal. Jean-Philippe Boucher-Belleville corrobore cette thèse dans son journal[7] ; à Saint-Charles, il occupe le poste de quartier-maître ou commissaire responsable d'approvisionner les troupes en vivres. Il écrit : «Je sais de source certaine qu'il [Sir John Colborne] était prêt à faire des propositions de paix aux patriotes, si ses troupes perdaient cette bataille [de Saint-Charles], ce qui devait arriver suivant ses prévisions mêmes ». Si l'armée du Nord avait attaqué Montréal, affirme-t-il avec conviction, elle « avait alors une grande chance de prendre [la ville] par un coup de main ».

Nous paraissent douteuses les capacités de l'armée du Nord de s'emparer de Montréal, bien que Colborne fût motivé de le craindre, avec peu d'effectifs réguliers sous la main et ignorant l'importance des troupes de Girod. Néanmoins, trois ou quatre compagnies de miliciens patriotes pouvaient sans difficulté balayer la petite garnison de Saint-Martin forte seulement d'une centaine d'hommes, prendre position à l'Abord-à-Plouffe pour contrôler l'accès au pont Lachapelle et menacer Saint-Laurent, dernière étape avant Montréal. Colborne n'aurait eu d'autre choix que de renforcer la défense de Montréal en ordonnant à ses troupes d'évacuer la vallée du Richelieu.

Il en fut autrement. Le général Colborne se réjouira de la victoire du colonel Wetherall à Saint-Charles et l'armée du Nord ne bougera pas, malgré la volonté de Girod.

Le samedi matin du 25 novembre, il convoque un conseil de guerre avec Chénier, Girouard, Dumouchel, Chartier et Barcelo et propose de répondre à l'appel des frères Nelson et de marcher sur Montréal ; il essuie un quintuple refus. « Barcelo tout d'abord s'en déclara l'adversaire. Chénier ne pensait qu'à se venger de ses ennemis de la Rivière-du-Chêne et il déclara qu'il ne ferait rien autre chose. Girouard voulut temporiser et le curé se mit de son côté. Ainsi, ils résolurent de se tenir sur la défensive[8]. »

L'attitude de Girouard se comprend. La veille, ce ne sera pas la dernière fois, une rumeur signalait que les troupes de la garnison de Carillon s'apprêtaient à marcher sur Grand-Brûlé ; cette menace justifie son refus de dégarnir le front ouest. Pour Chénier, la priorité exige de désarmer les loyalistes de Rivière-du-Chêne et de prendre le contrôle du village, avant d'entreprendre une expédition hasardée; sa position prudente n'est pas dénuée de sagesse. Quant à Barcelo, les raisons de son opposition paraissent moins évidentes; vraisemblablement, il juge cette démarche hâtive et irréaliste, en l'absence d'une préparation minimale et d'une organisation sérieuse.

Franchir le Rubicon démontre audace et témérité; imposer la manœuvre suppose aussi, et surtout, autorité et prestige, qualités dont Girod est dépourvu. Il s'incline, non sans se repentir «pour la première fois d'avoir placé [sa] confiance en des personnes ayant un caractère si hésitant».

Ce même samedi, selon *Le Populaire*, Girod trouve le temps d'écrire une lettre, datée de Saint-Denis, en réponse à un article du journal sur son départ de Montréal pour Grand-Brûlé. Il nie avoir rencontré Papineau à Varennes, le 13 novembre, et affirme que, s'il a effectivement gagné les Deux-Montagnes, il n'y est plus, ayant quitté les lieux, en passant par Montréal, jusqu'à Saint-Denis où il se trouve. Le directeur du *Populaire* a beau jeu de répliquer: «Girod se donne les gants d'un homme qui s'exposerait volontairement aux dangers que les rebelles ont connus à St. Denis, mais il n'en est rien, et il est encore dans les environs de Grand-Brûlé», puisque la lettre a été postée à la pointe du lac des Deux-Montagnes[9].

Girod en est-il l'auteur? Peu plausible: il ne mentionne rien dans son journal et la lettre elle-même est un tissu de fantaisies. Voyons-y un exemple d'intoxication de l'opinion publique par la presse loyaliste, la seule qui circule depuis dix jours, pour dénigrer les chefs patriotes et les présenter comme des menteurs et des illuminés aux yeux de leurs concitoyens.

* * *

Le lendemain de son échec devant son conseil de guerre, Girod consigne dans son journal : « Je restai avec Barcelo et ne fis rien de la journée[10]. » Un peu laconique. Dans sa frustration et son dépit, il escamote les faits.

Ce jour-là, nous apprend l'abbé Desèves, « pendant la grand'messe, des courriers arrivés en toute hâte de Ste. Scholastique vinrent jeter l'épouvante parmi les constitutionnels [les loyalistes] de St. Eustache, dont plusieurs prirent la fuite à l'instant même et allèrent se réfugier à Montréal[11] ». Si l'attaque de Montréal a été écartée, la marche sur Rivière-du-Chêne a bel et bien été décidée. Girod et Barcelo ont convenu de prendre les moyens pour répondre aux exigences de Chénier et occuper son village. L'annonce, le lundi, de la défaite de Saint-Charles, loin de les décourager, stimule leur énergie ; ils se gardent de diffuser cette mauvaise nouvelle et expédient un messager à Saint-Denis pour obtenir des précisions de la part de Wolfred Nelson.

Girod, avec Paul Brazeau, lève une compagnie de 70 hommes dans la côte Saint-Jacques de la paroisse de Saint-Benoît, concédant à Girouard et Dumouchel leur autorité sur les troupes du village de Grand-Brûlé. Avec ses recrues, il se rend à droite et à gauche récupérer des armes et réquisitionner du plomb pour fabriquer des balles, ainsi que du rhum et du whisky pour le repos du guerrier ; chez un dénommé Snowdon, il prend possession d'un cheval qu'il conservera pour son usage personnel.

Les capitaines Jacob Barcelo, François Danis et Noël Duchesneau enrôlent les miliciens de Sainte-Scholastique et entament leur marche sur Rivière-du-Chêne ; ils prennent deux jours à franchir la trentaine de kilomètres qui séparent les deux villages. Systématiquement, côte par côte, ils ratissent les concessions agricoles pour embrigader les Patriotes et désarmer leurs adversaires. Les loyalistes encore à Rivière-du-Chêne mettent à profit ce sursis pour préparer leurs bagages, fermer leurs maisons et prendre la route de l'exil[12]. Le mercredi soir, les trois compagnies entrent dans le village sans rencontrer d'opposition ; la guerre civile a été évitée et Chénier devient maître chez lui.

La neutralisation des loyalistes, l'occupation de Rivière-du-Chêne et la mobilisation de plusieurs compagnies confortent Girod qui décide d'entreprendre une expédition de grande envergure et d'effectuer une descente au lac des Deux-Montagnes, où, selon le député Scott, il pourra mettre la main sur « 4 canons, 156 fusils et 60 barils de poudre[13] » dans les magasins de la Compagnie de la Baie d'Hudson. Malgré sa méfiance à l'endroit de Scott, il tient pour sérieux ces renseignements ; il envoie Féréol Peltier et Richard Hubert, qu'il s'est adjoint comme aides de camp, faire part de son plan à Chénier et lui ordonner de prendre la tête d'une troupe de miliciens pour se joindre à lui.

Dans la nuit du 29 au 30 novembre, à une heure du matin, Girod, ses deux aides de camp, le capitaine Brazeau et sa compagnie prennent la direction du lac. Chénier a quitté Rivière-du-Chêne avec trois compagnies, celles des capitaines Joseph Robillard, Jean-Baptiste Bélanger et Joseph Guitard, environ 250 hommes. Vers 6 heures du matin, les troupes patriotes établissent leur jonction et Girod déploie les unités pour encercler les bâtiments de la Compagnie de la Baie d'Hudson, la maison d'un certain Ducharme, capitaine local de la milice loyaliste, et la résidence des sulpiciens ; des détachements prennent position sur la route qui longe le lac et conduit au village des Indiens[14].

Une fois tout le monde en place, Girod se fait donner par le gardien, le « gros McTavish » selon ses propres termes, les clés du magasin et de la poudrière de la Compagnie de la Baie d'Hudson. Ses hommes récupèrent 8 fusils, 2 livres de poudre et 1200 livres de plomb ; quant aux canons, McTavish lui dit qu'ils ont été emportés et cachés. Chénier remet un reçu pour le matériel réquisitionné, auquel s'ajoute un baril de porc salé. Nous sommes loin des avancées du député Scott.

Girod et Chénier se rendent au presbytère de Nicolas Dufresne, titulaire de la mission de L'Annonciation-d'Oka. Le curé possède bien un canon, mais il appartient aux sulpiciens et il ne saurait s'en désaisir sans autorisation ; il signale que les Indiens en détiennent deux autres, offerts par le gouverneur britannique et utilisés lors de leurs célébrations. Girod décide de rencontrer le chef indien et le prévient par un messager afin qu'il réunisse son conseil. Girod se fait accompagner du curé et d'un interprète, z, cultivateur de Saint-Eustache.

Le chef indien explique que les siens entendent demeurer neutres et ne pas s'immiscer dans le conflit qui oppose le peuple canadien aux autorités anglaises ; il refuse de vendre ses deux canons aux Patriotes. Le chef conclut, rapporte Girod : « Frère, je ne veux pas intervenir dans la dispute entre vous et votre père. Défendez vos droits et quand j'entendrai le tonnerre de vos armes, je regarderai dans mon esprit si je ne suis pas obligé de vous venir en aide. Vous vous êtes conduit comme un homme sage et si vous avez semé du bon grain dans le jardin de votre frère, vous mangerez son pain avec lui. » Autrement dit, battez-vous et, si vous gagnez, je me rallierai à vous.

Girod retourne à la résidence des sulpiciens où il surprend Chénier, qui s'est entretemps emparé du canon du presbytère, en grande conversation philosophique avec le supérieur. Il met fin aux palabres et ordonne le départ des troupes. Chénier regagne Rivière-du-Chêne avec ses trois compagnies ; Girod, avec celle de Brazeau, ramène à Saint-Benoît le butin, dont le canon du presbytère.

De retour au village à 5 heures de l'après-midi, Girod se rend chez Girouard qu'il trouve en discussion avec James Brown et Alexis-Édouard Monmarquet. Brown, un ancien libraire de Montréal, s'était installé à St. Andrews où il a géré jusqu'en 1834 une usine de papeterie qu'il avait acquise en 1809 ; lui et le notaire Globensky s'étaient présentés comme candidats du Parti bureaucrate aux élections de 1834 et furent défaits par Girouard et Scott. Il a alors décidé de vendre son entreprise et de déménager à Montréal ; il est revenu à St. Andrews lever une compagnie de volontaires pour appuyer les troupes régulières de Carillon[15]. Monmarquet, on s'en souvient, représentait l'ouest du comté au comité central des Deux-Montagnes ; proche de Louis-Joseph Papineau, il recevait à dîner le seigneur de la Petite-Nation lorsqu'il se retirait dans son fief avec sa famille[16].

Brown offre de servir d'intermédiaire entre les chefs des Deux-Montagnes et les autorités politiques et militaires « pour tâcher de terminer cette affaire de façon pacifique ». Girod et Girouard, après s'être concertés, refusent cette proposition, « convaincus des intentions du gouvernement » de chercher à liquider le Parti patriote. La délégation passe la nuit à Grand-Brûlé et, le lendemain, munie de sauf-conduits pour franchir les lignes de défense, retourne à St. Andrews[17].

Girod passe les journées suivantes à tenter de mettre de l'ordre, alors que « tout est confusion » ; l'expression revient souvent sous sa plume. L'homme paraît excédé par la pagaille généralisée, les convictions chancelantes de son entourage, l'absence d'orientation politique ferme, les manœuvres démobilisatrices des uns et des autres ; le 6 décembre, il écrit : « De ma vie, je n'ai jamais été aussi fatigué que je le suis aujourd'hui[18] ».

Les problèmes se succèdent sans désemparer. Il émet une proclamation menaçant « de peines sévères » les miliciens qui se livreraient au pillage, même chez les adversaires loyalistes ; cette fermeté pour protéger les biens des habitants l'honore, mais ses hommes acceptent mal cette intransigeance. De tels scrupules n'étoufferont pas le général Colborne.

Le curé de Saint-Hermas, Ferdinand Belleau, tirant profit de la démarche de Brown et Monmarquet, a lancé la rumeur que les chefs du Grand-Brûlé avaient décidé de « traiter avec le gouvernement pour sauver leur vie et leurs biens » et d'abandonner les habitants à leur sort[19]. Il s'est retiré à St. Andrews, laissant ses paroissiens sans ministère. Girod est conscient des conséquences négatives de cette désertion auprès du capitaine Aubry et des patriotes locaux dont l'ardeur manque de souffle ; il charge les frères Chevalier et Chamilly de Lorimier de le persuader de revenir à Saint-Hermas, sans succès.

Le 2 décembre, une autre délégation, cette fois de Sainte-Anne-des-Plaines, arrive à Grand-Brûlé avec de mauvaises nouvelles. Guillaume Provost, membre du comité central du comté de Terrebonne, et Moyse Ollier avaient promis, trois jours auparavant, de recruter dans leur paroisse plusieurs compagnies pour les mettre au service de l'armée du Nord. Selon eux, « les sentiments de la population avaient complètement changé depuis la proclamation des magistrats et l'arrivée [à Montréal] des prisonniers et des troupes[20] ».

La proclamation des magistrats émane d'un groupe de notables canadiens, dont les conseillers législatifs Denis-Benjamin Viger, Pierre de Rocheblave et Louis Guy. Dans leur « Adresse aux habitans du district de Montréal », ils avertissent leurs concitoyens des dangers qu'ils courent à s'opposer aux autorités civiles et militaires et les exhortent à s'abstenir de toute démarche violente et à rentrer paisiblement dans leurs foyers ; des malheurs et des sanctions les attendent s'ils persistent dans leur lutte contre les lois et la paix publique[21].

Ollier leur décrit le triste spectacle des Patriotes du Richelieu enchaînés deux par deux comme des criminels et conduits à la prison de Montréal. Les deux délégués invitent les chefs des Deux-Montagnes à abandonner la lutte comme eux-mêmes et les habitants de Sainte-Anne-des-Plaines l'ont décidé[22].

Girod garde le silence sur la suite de la discussion, sauf pour souligner que l'abbé Chartier accuse de lâcheté Girouard et les habitants de Grand-Brûlé. Que faut-il interpréter? Vraisemblablement, que le notaire a déclaré qu'il endossait le point de vue de Provost et Ollier et a affirmé que la population du village partageait cette opinion.

Chose certaine, Girouard, Dumouchel et Masson entendent rester sur la réserve et n'entreprendre aucune action offensive. Leur priorité demeure la défense de Grand-Brûlé et une nouvelle rumeur confirme leur position: les troupes de Carillon se dirigeraient vers le village, tandis que l'armée aurait quitté Montréal pour marcher sur Rivière-du-Chêne; elle se révèle fausse, comme les précédentes. Soit qu'il y prête foi, soit qu'il saisit le prétexte, Girod décide de laisser à Girouard la défense du front ouest et de gagner Rivière-du-Chêne, avec son état-major.

* * *

Dès son retour de l'expédition d'Oka, Chénier a pris possession, malgré l'opposition du curé Paquin, du couvent des religieuses, vide de ses futures occupantes. Il a affecté aux différentes sorties du village des sentinelles pour contrôler les allées et venues des habitants; seuls les détenteurs de laissez-passer signés de sa main peuvent franchir les postes de surveillance. Il a réquisitionné 138 livres de lard, un quarteron de poudre et trois quarterons de plomb au commerce d'Hubert Globensky. Le lieutenant Antoine Rochon, à la tête de 12 hommes, a saisi 1200 livres de plomb au magasin du député Scott[23].

Chénier espérait que le départ des familles loyalistes lui donnerait l'entière maîtrise du village et la pleine autorité sur ses compagnies de miliciens. C'était négliger l'influence du curé Paquin, du vicaire Desèves et du député Scott. Le 2 décembre, ce dernier a quitté sa retraite de Sainte-Thérèse pour venir à Rivière-du-Chêne encourager les miliciens à se retirer sur leurs terres. Le lendemain, un dimanche, il reitère sa demande au cours d'une réunion tenue dans le couvent, après la grand-messe. De son côté, l'abbé Desèves s'adresse aux paroissiens assemblés devant l'église et leur donne lecture de la proclamation émise par le gouverneur Gosford, le 29 novembre.

Gosford, après avoir rappelé les actions violentes des Patriotes dans la vallée du Richelieu et souligné les bienfaits de son gouvernement dans l'administration du Bas-Canada, invite les habitants «à écouter le langage de la raison, de la sincérité et de la vérité» et lance un appel à la loyauté et la fidélité envers l'autorité légitime :

> Retirez-vous dans vos foyers et au sein de vos familles. Soyez assurés qu'un Gouvernement puissant et miséricordieux a plus à cœur d'oublier que de venger des injures, et que dans ce sanctuaire vous n'éprouverez de sa part aucune molestation[24].

Les mesures prises par Chénier n'ont pas empêché un inconnu d'atteindre le centre du village et de placarder la proclamation sur la porte de l'église. Un inconnu ? Et si c'était Scott, arrivé la veille et qu'aucune sentinelle ne pouvait décemment interpeller ? Hypothèse plausible si nous considé-rons que seul le texte de l'appel de Gosford à déposer les armes a été affiché. Le gouverneur avait aussi émis le 29 no-vembre plusieurs proclamations d'accusations de crime de haute trahison à l'endroit des chefs patriotes et d'offres de récompense à quiconque les appréhenderait et les livrerait aux autorités. L'une d'elles visait nominalement Girod, Ché-nier, Girouard et Scott lui-même en fixant le prix de leurs têtes à 500 livres ou 2000 dollars. Scott n'avait pas intérêt à révéler qu'il était compromis à ce point.

Sa harangue aux habitants porte fruit et les miliciens quit-tent le village pour regagner leurs foyers. Le député se glorifiera, dans sa déposition du 21 février 1838, d'avoir réussi à disperser tous les gens qui occupaient le village[25].

Malgré ce revers, Chénier est parvenu à interdire au le curé Jacques Paquin de quitter le village pour aller à Montréal avec son beau-frère Émery Féré « afin de faire connaître aux autorités les dispositions actuelles des habitants dont le premier feu s'était ralenti et afin de prévenir s'il se pouvait les désordres inévitables, si on en venait à une bataille[26] ». Il l'a autorisé à se retirer, avec son vicaire, sur la ferme qu'il possède à l'extérieur du village, à condition de ne pas franchir les limites de la paroisse de Saint-Eustache.

Résultat, lorsque Girod arrive à Rivière-du-Chêne, le matin du 5 décembre, il trouve seulement 28 hommes en armes et le presbytère déserté par son clergé. Devant la mauvaise humeur fort compréhensible de son général, le colonel Chénier l'informe qu'il a expédié des messagers battre le rappel des troupes dans les paroisses de l'arrière-pays. Son adjuration est entendu : le lendemain, une compagnie de 100 hommes arrive de Sainte-Scholastique, puis entre 150 et 200 miliciens de Saint-Jérôme[27]. Des centaines d'autres suivront et l'effectif de l'armée du Nord atteindra le millier le 13 décembre.

Pour les loger, Girod et Chénier prennent possession des édifices abandonnés par les loyalistes : l'auberge de David Mitchell et les maisons de Jacques Dorion, d'Hubert Globensky et de James Bowie. Girod établit ses quartiers dans la résidence du notaire Frédéric-Eugène Globensky, tandis que Chénier transforme le presbytère en mess pour les officiers.

Le 6 décembre, alors que commencent à arriver les habitants du Nord, Girod envoie un détachement de 25 hommes détruire le pont Porteous à Sainte-Rose. La rivière des Mille-Îles gèle, la glace se forme et bientôt les Patriotes pourront traverser sans problème. Le pont ne pourrait servir qu'à

faciliter le passage de la cavalerie, de l'artillerie et des fourgons de l'armée britannique.

Les jours suivants, Girod se consacre à des tâches d'organisation et d'intendance. Il a fort à faire, particulièrement
pour imposer un minimum de discipline dans ses troupes.
Deux problèmes, en partie liés, le confrontent: nourrir des
centaines d'hommes et empêcher le pillage et le vandalisme.
«Tandis que les uns avaient en abondance [des provisions],
les autres avaient à peine un morceau à se mettre sous la dent.
Les gens s'imaginaient que le village leur a été livré pour être
mis au pillage[28].»

À plusieurs reprises, il note dans son journal les actes de
pillage commis ici et là. Ainsi: «Au cours de la nuit dernière,
un vol a été commis à la maison de M. Bellefeuille. On fit
main basse sur trente-trois minots de grain et sur plusieurs
objets de valeur[29].» Ou encore: des hommes ont pénétré par
effraction dans la maison du maître de poste Mitchell pour
faire main basse sur ce qu'ils ont trouvé; ils ont mis en perce
un baril de rhum dans la cave[30]. Chénier a beau installer des
sentinelles pour surveiller les maisons vides des loyalistes, cela
ne suffit pas à empêcher les déprédations.

Girod lance un appel au curé Paquin dont l'absence du
village exerce une mauvaise influence sur les habitants; le 7
décembre, il lui rend visite sur sa ferme, avec Luc-Hyacinthe
Masson, et l'invite à venir tous les jours au village, avec son
vicaire, pour dire la messe et y passer la journée, s'ils le
désirent. Le lendemain, le curé lui renvoie l'ascenseur, si l'on
peut dire, et déclare dans son prêche de faire preuve «d'hu-
manité et de modération, mais sans pour autant perdre de vue
l'enthousiasme nécessaire pour la défense de leurs droits[31]».

C'est surtout par la mise sur pied d'un service d'intendance pour nourrir les miliciens que lui et Chénier parviennent, sinon à empêcher tout pillage, du moins à le réduire
considérablement. Le docteur Jean-Baptiste Brien, de Saint-

Martin, est nommé premier quartier-maître ; nous connais-sons deux de ses adjoints : François Danis, marchand de Sainte-Scholastique, et Augustin Laurent, tanneur de Saint-Eustache. Des recrues prennent en charge la production de nourriture : en quelques jours, l'aubergiste Charles Cham-pagne cuit plus de 400 pains ; Augustin Sanche et son jeune assistant François Deau débitent et salent 40 bœufs. Des cuisi-niers sont affectés à chaque compagnie, tels Auguste Lauzon dans celle du capitaine Joseph Guitard et Clémence Gravelle, veuve Éthier, dans celle de Joseph Robillard[32].

Des détachements envoyés ici et là chez les loyalistes et les neutres permettent de réquisitionner la farine pour le pain et le bétail pour la viande ; les lieutenants remettent aux intéres-sés des reçus, signés par Girod ou Chénier, garantissant le remboursement de leurs biens par le futur gouvernement provisoire de la République. On sait qu'à Saint-Denis et à Saint-Charles Wolfred Nelson et Thomas Storrow Brown ont agi de la même façon, ce qui permet de conclure à une politique concertée, sans doute établie en octobre ou en novembre lors d'une réunion de l'état-major des Fils de la Liberté.

Pour chauffer les maisons occupées par les miliciens et entretenir les bûchers des bivouacs des corps de garde, on prélève le bois dans les hangars des loyalistes absents. Les réserves du domaine seigneurial fournissent le manque à brûler.

Se pose aussi le problème des nombreux espions, selon l'expression de Girod qui signale que « plusieurs furent arrê-tés[33] ». Le mot espion paraît excessif ; retenons plutôt dissident ou réfractaire. Parmi eux, nous pouvons mentionner Joseph Marier, meunier du grand moulin seigneurial à l'embouchure de la rivière des Milles-Îles ; Augustin Laurent, adjoint au quartier-maître, reçoit l'ordre de l'arrêter, probablement parce qu'il refuse d'ouvrir les portes de l'entrepôt de farine.

Une patrouille se pointe chez Casimir Testard de Montigny, marchand de Saint-Jérôme et fondé de pouvoir du seigneur Charles Lambert-Dumont ; parce qu'il a organisé chez lui une assemblée pour recommander aux habitants de se dissocier des Patriotes, il est conduit de force à Rivière-du-Chêne et incarcéré. Félix Paquin, neveu du curé, lui-même intouchable et assigné à résidence, est mis aux arrêts sur l'ordre de Girod ; il craint que le neveu donne suite au projet de son oncle et se rende à Montréal informer les autorités de la situation dans les Deux-Montagnes[34].

Ces prisonniers et d'autres sont détenus dans la maison de la veuve du notaire François de Bellefeuille, sous la garde du capitaine Jacques Dubeau.

Le cas de Joseph Constantineau paraît moins clair. Ce sellier de Montréal, incapable d'expliquer sa présence à Rivière-du-Chêne, est arrêté le 6 décembre par Chamilly de Lorimier. Pendant sa détention, Chénier met à contribution ses talents pour fabriquer des gibernes pour ses miliciens. Dans sa future déposition[35], Constantineau mentionne la présence, au village, des Montréalais Chevalier et Chamilly de Lorimier, Richard Hubert et Féréol Peltier, mais affirme n'avoir reconnu personne du lieu, sauf Chénier. Un véritable espion ? Possible.

Le général et le colonel de l'armée du Nord ne consacrent guère d'énergie à l'entraînement des miliciens ; il se limite à des défilés dans les rues du village et à des rassemblements sur la grande place pour entendre des discours de motivation, accompagnés de rappels à l'ordre. Mais ni maniement d'armes ni manœuvres. Désœuvrés, les miliciens se promènent à travers le village en petits groupes et passent leur temps « à piller, boire, manger, danser et se quereller[36] ». Des auteurs, dont l'abbé Émile Dubois et l'historien Gérard Filteau, ont reproché à Girod et Chénier de ne pas occuper leurs troupes par des exercices et des travaux de fortification.

Négligence, inconscience, incapacité des officiers ? Pas nécessairement. Une armée populaire, composée de volontaires, ne saurait être comparée à une armée régulière. La rareté des munitions, poudre et balles, interdit les exercices de tir. Quant aux manœuvres, même si Girod et Chénier avaient quelque expérience en la matière, ce qui n'est pas le cas, ils se heurteraient à une résistance certaine de la part des habitants ; cela, Chénier le comprend, mieux que Girod qui ignore la mentalité de ces défricheurs plus habiles à dompter la nature qu'à simuler un combat.

En majorité cultivateurs et journaliers, les hommes exigent de retourner régulièrement sur leurs terres pour rassurer femmes et enfants, pour s'occuper des travaux qui ne souffrent pas d'être reportés, pour nourrir les troupeaux. Chénier doit multiplier l'émission de laissez-passer qui les autorisent à franchir les postes de contrôle aux sorties du village et à gagner leurs maisons respectives où ils passent la nuit ; dans la seule journée du 8 décembre, il en signe 400[37].

Mais ils ne partent pas tous en même temps ; l'effectif présent ne tombe jamais sous les 300 miliciens. Pourquoi ne pas les embrigader pour édifier des retranchements, creuser des fossés ? De la part de Chénier, cela s'explique mal. De la part de Girod, nous retrouvons sa conviction que l'avenir appartient à l'offensive, quitte au besoin à battre en retraite et à céder du terrain. Guerre de mobilité ou guerre de position, les deux voies divisent l'état-major. Pour choisir l'une ou l'autre, ou même une troisième option, celle de déposer les armes et de dissoudre l'armée, Girod et Chénier manquent d'information.

Toutes les communications avec le Sud sont coupées. Ce n'est que le 8 décembre qu'ils apprennent, par James Watts, l'adoption des mandats de recherche, avec les offres de récompense ; ils ont pourtant été émis depuis dix jours, le 29 novembre. Le proclamation du gouverneur décrétant la loi martiale et ordonnant au général Colborne de prendre tous les moyens pour punir les rebelles, par la mort ou autrement, date du 5 décembre; la nouvelle ne parviendra pas à Rivière-du-Chêne.

Girod et Chénier ignorent sûrement que toute activité a cessé le long des rives du Richelieu et que, le 1er décembre, Wolfred Nelson, Thomas Storrow Brown et les autres cadres de l'armée du Sud ont décidé d'abandonner la lutte et de gagner les États-Unis pour tenter de rejoindre les Louis-Joseph Papineau, Edmund Bailey O'Callaghan, Cyrille-Hector-Octave Côté et Ludger Duvernay qui les avaient précédés. Comme ils ignorent que le général Colborne a achevé d'écraser le soulèvement patriote, a renforcé la garnison de Montréal avec un régiment de Québec et se prépare minutieusement à marcher sur les Deux-Montagnes[38].

Le vendredi 8 décembre, jour de l'Immaculée-Conception et fête religieuse chômée, les paroissiens de Saint-Eustache envahissent l'église. Girod en profite pour rassembler, après la grand-messe, toutes les compagnies dont l'effectif dépasse le millier « pour leur faire connaître les chefs des différents services et les convaincre de la nécessité de la discipline ». Il réunit ensuite son état-major qui décide, à sa grande satisfaction, « de faire une expédition sur Saint-Martin et [...] d'y envoyer une compagnie[39] », mais sans fixer de date. Le soir, il prend la plume pour la dernière fois de sa vie et note sommairement : « On m'a rapporté qu'à Saint-Martin l'ennemi avait reçu des renforts. » Ces renforts comprennent deux compagnies du 32e régiment et un escadron de la Royal Montreal Cavalry que le général Colborne a mutés à l'Abord-à-Plouffe pour protéger le pont Lachapelle, le seul sur la rivière des Prairies, que devra emprunter l'armée britannique, et à Saint-Martin appuyer la petite garnison de 100 hommes[40].

Girod connaît-il ces précisions? Si oui, il lui faudra plus d'une compagnie pour attaquer Saint-Martin.

Les jours suivants, Girod exige que les officiers se consa-crent à ramener au village les hommes retournés chez eux, à commander de nouvelles réquisitions de nourriture et à orga-niser la fabrication de balles à partir des lingots de plomb. Le dimanche 10 décembre, à l'issue de la messe, devant les troupes rassemblées sur la grande place, il dénonce de nou-veau le désordre et le pillage et met aux arrêts trois hommes ; il ordonne que, sous peine de sanction, toute réquisition soit autorisée par un billet signé par un officier de l'état-major. Certains n'apprécient pas ces mesures draconiennes et com-mencent à contester l'autorité de leur général[41].

Le lundi, dans l'après-midi, un détachement de la cavalerie royale se pointe sur la rive opposée. Branle-bas pour réunir, sur la grande place, l'armée qui compte ce jour-là 400 hommes. On amorce des manœuvres pour les attaquer, mais il s'agit d'une fausse alerte. La patrouille aperçue n'était venue qu'en reconnaissance et retourne faire rapport à Saint-Martin. Pour éviter de nouvelles surprises, Chénier traverse la rivière gelée avec 50 hommes ; il prend possession de l'auberge de Misac Cyr, construite au carrefour des routes qui mènent à Sainte-Rose et à Saint-Martin, et y laisse un corps de garde[42].

Le lendemain, Girod expédie à Sainte-Rose une brigade de 25 hommes avec la mission de réunir les habitants et de lever une ou deux compagnies. La tentative tourne à l'échec ; une quarantaine de villageois manifestent violemment leur opposition, pendant qu'un coursier franchit les cinq kilomè-tres de route jusqu'à Saint-Martin et requiert l'intervention de la garnison britannique. Mis au courant, les hommes de Girod se retirent et regagnent Rivière-du-Chêne.

Le mercredi 13, Girod, Chénier et leurs lieutenants procè-dent à une revue des troupes qui s'élèvent à 800 hommes. Le général les harangue du haut de la galerie du presbytère, suivi du curé Étienne Chartier venu encourager les Patriotes. Puis, Girod et Chartier se rendent à Grand-Brûlé pour tenir un conseil de guerre et mettre au point l'expédition sur Saint-Martin; celle-ci est fixée au lendemain soir. Girod dépêche des courriers pour accroître les effectifs; dans la soirée, l'armée du Nord, forte maintenant d'un millier de miliciens, parade au son des tambours et des violons avant de prendre ses quartiers[43].

* * *

Le lendemain matin, 14 décembre, à 11 heures, le tocsin sonne à pleine volée au clocher de l'église: les sentinelles de l'auberge Cyr ont traversé la rivière pour annoncer l'approche des troupes ennemies. Il s'agit en réalité des 60 hommes du St. Eustache Loyal Volunteers que le capitaine Maximilien Globensky a recrutés parmi les loyalistes de son village réfugiés à Montréal. Girod commande à Chénier et à Hubert de passer à l'attaque avec plusieurs compagnies totalisant 300 hommes. L'un d'eux, Alexandre Fournier, de Sainte-Scholastique, refuse d'obéir et braque son arme sur Girod en menaçant de l'abattre; rapidement maîtrisé, il rentre dans les rangs[44]. Il s'en tire à bon compte; un tel acte de mutinerie méritait la mise aux arrêts, sinon le peloton d'exécution.

Le colonel Chénier entraîne son bataillon sur la glace et engage le combat contre les volontaires de Globensky qui amorcent leur retraite. Sur la gauche, de la rive nord, éclate une fusillade: c'est l'avant-garde de l'armée britannique qui arrive. Parties de Montréal la veille et de Saint-Martin à l'aube, les troupes ont franchi le cours d'eau à mi-chemin entre Rivière-du-Chêne et Sainte-Rose, là où la glace était assez épaisse pour le permettre sans danger; cet itinéraire, qui ajoute dix kilomètres à la voie directe, a été suggéré au général Colborne par le supérieur des sulpiciens, Joseph-Vincent Quiblier[45]. De tous les collaborateurs chouayens, il aura été le plus zélé en fournissant à l'armée britannique un indispensable soutien logistique[46].

Le déplacement des 1500 soldats réguliers et volontaires de l'armée, avec ses 70 fourgons de munitions et de nourriture, ne pouvait passer inaperçu. Comment expliquer que personne, pas un seul habitant des paroisses de Saint-Laurent, de Saint-Martin et de Sainte-Rose, n'ait tenté d'avertir Girod ? Alors que l'armée progressait lentement, étirée sur trois kilomètres, quoi de plus aisé pour un homme à cheval d'emprunter les chemins secondaires jusqu'à Rivière-du-Chêne ? Manifestement, l'effet dissuasif de la loi martiale a atteint un niveau que Colborne lui-même n'osait espérer.

Quant aux chefs de l'armée du Nord, pourquoi n'ont-ils pas établi un corps de garde chez l'un ou l'autre des cultivateurs dont les terres bornent en aval la rivière des Mille-Îles ? De la part de Girod et de Chénier, il s'agit d'un manque flagrant de jugement et d'une faute inqualifiable. Accordons-leur le bénéfice du doute : peut-être ont-ils confié cette mission à quelques hommes qui ont préféré demeurer cachés en voyant l'ennemi poindre, laissant les Patriotes dans l'ignorance. Leur surprise est totale.

Pris entre deux feux, Chénier doit rebrousser chemin et retraiter au village ; beaucoup de ses hommes en profitent pour déserter. À Rivière-du-Chêne ne restent que 300 miliciens ; les deux tiers de l'effectif présent la veille se sont déjà enfuis. Les membres de l'état-major tiennent un conciliabule sur la grande place. Nous ne connaissons pas l'opinion de Girod ; s'il voulait que l'armée du Nord se replie sur Grand-Brûlé, il est trop tard pour exécuter une manœuvre qui se transformerait en débandade générale. De toute façon, Chénier prône la résistance à outrance.

Les officiers venus de Montréal préconisent d'abandonner la lutte et de déposer les armes. Devant la réaction indignée de Chénier, Chamilly de Lorimier lui remet les siennes, en disant : « Prenez ces pistolets, vous en aurez besoin[47]. » Si le mot est authentique, il manifeste une forme certaine de

cynisme, pour ne pas dire plus. Chevalier et Chamilly de Lorimier, Jean-Baptiste Brien et Féréol Peltier quittent alors le
village et trouveront refuge aux États-Unis. Richard Hubert les
suit de peu ; il sera arrêté alors qu'il se cachait chez Côme
Cartier, à Saint-Antoine.

Restés seuls, Girod et Chénier, sabre au clair, répartissent
200 miliciens dans les quatre édifices de la grande place : le
manoir, le couvent, l'église et le presbytère ; une centaine
d'autres s'installent dans diverses maisons de la rue principale, dont celle du député Scott. Une compagnie prend
position derrière le parapet du jardin entre l'église et le presbytère, avec à sa tête le capitaine André-Benjamin Papineau,
notaire de Saint-Martin et cousin de Louis-Joseph.

Girod parcourt le village pour tenter de rallier les fuyards
qui s'y trouvent encore. En remontant la grande rue, il
constate qu'un régiment d'infanterie effectue une large
manœuvre par le nord pour encercler Rivière-du-Chêne ; il
décide de chevaucher jusqu'à Grand-Brûlé pour alerter
Girouard, mobiliser deux ou trois compagnies et prendre à
revers les troupes de Colborne. Pourquoi n'envoie-t-il pas un
courrier à sa place ? Les minutes comptent, il n'a pas le temps
de revenir sur ses pas, d'aviser Chénier du danger et de dépê-
cher une estafette. De plus, il n'a confiance en personne et
craint que tout messager expédié ne reviendra pas ; il a sûrement raison.

Lorsqu'il croise la route qui mène à Sainte-Scholastique,
au carrefour de La Fresnière, est-il tenté de s'y engager ? C'est
à ce moment qu'il pourrait fournir la preuve de la lâcheté
dont beaucoup l'accuseront dans les années à venir. Il n'hésite pas et prend à gauche le chemin de Grand-Brûlé.

Au village, il se précipite chez Girouard qui inspecte les
avant-postes du camp. Informé de la présence de Girod, le
notaire revient chez lui pour l'apostropher : s'il tient tant à se
battre, pourquoi n'est-il pas resté à Rivière-du-Chêne avec

Chénier ? Qu'il y retourne. Quant à lui, il n'a pas l'intention de bouger, ni d'encourager quiconque dans ce sens. Girouard n'hésitera pas à se vanter, dans une lettre datée du 28 avril 1838 et adressée à son ami Augustin-Norbert Morin : « À l'exception d'un seul, personne de Saint-Benoît que je sache n'était allé à Saint-Eustache et ne se trouva au feu[48]. »

Laissons passer un ange...

Girod n'insiste pas. Le temps presse. Il fonce chez les frères Luc-Hyacinthe et Damien Masson qui s'empressent de regrouper les miliciens présents pour porter secours aux troupes de Chénier. Il est trop tard. À l'horizon, les hommes aperçoivent des colonnes de fumée qui indiquent que Rivière-du-Chêne flambe. Des réfugiés leur apprennent que les troupes de Colborne occupent le village et bombardent les derniers noyaux de résistance. À 16 heures et demie, tout est terminé.

Girod, les frères Masson et leurs miliciens rebroussent chemin. Les rejoint, à cheval, André-Benjamin Papineau : lorsque l'artillerie ennemie a pris position face à l'église et au presbytère et a commencé à tirer, sa compagnie s'est dispersée et il s'est retrouvé seul avec trois hommes. Il a réussi à quitter la place, le dernier des officiers à partir[49].

Les chefs de Grand-Brûlé, réunis chez le marchand Jean-Baptiste Dumouchel, s'accordent pour ordonner à leurs troupes de déposer les armes et de rentrer chez eux, affirme le notaire Papineau. « Mais, ajoute-t-il, avant de se disperser, plusieurs de ces braves chefs et soldats cherchèrent un bouc émissaire sur qui faire tomber leur chagrin et leur désappointement. » Ils veulent « jeter tout le blâme sur lui [Girod] et en faire une victime expiatoire », le juger et le fusiller. Le notaire Papineau les convainc de le laisser partir avec lui, pour éviter « un crime inutile et odieux[50] ».

Rappelons, par souci de rigueur, que l'historien L.-O. David donne une version différente de la scène qu'il situe à l'auberge Inglis, à la sortie du village, vers La Fresnière[51], version sujette à caution. Outre des descriptions et des dialogues peu crédibles, David indique, sans mentionner la présence d'André-Benjamin Papineau, que Girod se serait enfui par une fenêtre, aurait sauté dans la voiture d'un cultivateur et aurait pris la direction de Sainte-Thérèse ; or, la route qui conduit à ce village n'existait pas en 1837. En quittant les lieux, Girod n'avait d'autre choix que de prendre celle de Rivière-du-Chêne, ce qui était exclu, ou celle de Sainte-Scholastique, tel que l'affirme Papineau. La version de David, reprise par l'abbé Émile Dubois, l'historien Gérard Filteau et leurs successeurs jusqu'à ce jour, ne tient pas ; certains donneront libre cours à leur imagination pour décrire un Girod errant dans les bois, quêtant sa nourriture dans les fermes, dormant dans les granges.

De Sainte-Scholastique, nous apprend Papineau, ils se dirigent jusqu'au village de L'Assomption, en passant vraisemblablement par Saint-Jérôme et Sainte-Anne-des-Plaines ; ils trouvent refuge chez un dénommé Archambault, « un franc Patriote ».

Les Archambault foisonnent à L'Assomption et identifer parmi eux ce franc Patriote s'avère une tâche ardue. Les noms de trois personnes s'offrent à nous : celles qui ont organisé l'assemblée conjointe des comtés de L'Assomption et de Lachenaie, tenue le 29 juillet 1837 au village de L'Assomption, soit le président, Jacques Archambault, le vice-président, Louis Archambault, et le secrétaire, Eugène Archambault[52]. Nous pouvons avancer un quatrième nom, celui de Pierre-Urgel Archambault, marchand, âgé de vingt-cinq ans ; par son épouse Josephe Beaupré, il est le beau-frère d'Édouard-Étienne Rodier, député de L'Assomption, l'avocat de Girod lors de son procès intenté par Sabrevois de Bleury.

Quel qu'il soit, Girod et Papineau profitent de l'hospitalité de leur hôte pendant trois jours avant de reprendre la route.

* * *

Le dimanche 17 décembre, les deux fugitifs quittent L'Assomption vers Repentigny, traversent sur l'île de Montréal et, à Rivière-des-Prairies, se séparent. André-Benjamin Papineau poursuit son chemin jusqu'à Saint-Martin où il retrouve sa mère, veuve, et ses trois sœurs dont il a la responsabilité ; il se livre aux autorités militaires qui le conduisent à la prison de Montréal, le 26 décembre.

Girod se rend chez Robert Turcotte, ce camarade du Comité central et permanent qui l'avait accueilli le 15 novembre et conduit à Sainte-Rose. Turcotte accepte de l'emmener, avec un comparse non identifié, chez Joseph Laporte, à Pointe-aux-Trembles où le trio arrive à 10 heures du soir. Girod désire vraisemblablement gagner l'île Saint-Thérèse et retrouver Zoé qui pourrait le cacher.

Joseph Laporte le dissuade de regagner sa maison où il serait rapidement arrêté. Le salut est dans l'exil et la route passe par Berthier et Trois-Rivières, franchit le Saint-Laurent et, par les concessions des Cantons de l'Est, conduit à Stanstead où il pourra passer la frontière et se réfugier aux États-Unis. Il lui suggère d'aller chez un ami dont la maison offre plus de sécurité que la sienne, de dormir quelques heures, mais lui conseille de ne pas s'attarder trop longtemps avant de reprendre la route.

Entretemps, Robert Turcotte et son compagnon, alléchés par la fortune que représente la prime de 2000 dollars, se sont dirigés sur Montréal pour trouver un juge de paix et dénoncer le fugitif. À Longue-Pointe, devant la distillerie Handyside, à 2 heures du matin, un gardien entend venir leur carriole et interpelle le conducteur et son passager ; devant leur incapacité à fournir le mot de passe en usage en vertu de la loi martiale, il les arrête et les conduit à son chef, l'enseigne de milice John Taylor. Turcotte explique leur présence sur les routes au milieu de la nuit et l'informe qu'ils ont laissé Girod chez Laporte.

Taylor a publié une lettre où il décrit par le menu détail les péripéties de la course pour capturer Girod[53]. Nous nous appuierons sur son récit, le seul témoignage laissé par un contemporain présent, pour accompagner Girod dans sa tentative d'échapper à ses poursuivants.

Taylor réveille le propriétaire de la distillerie afin de le mettre au courant et d'obtenir l'autorisation de traquer Girod dans sa retraite; le sieur Handyside lui ordonne d'aller chez son voisin, un certain Green, et de lui demander de venir les rejoindre pour agir comme interprète. Interrogés de nouveau, Turcotte et son compagnon décrivent la maison de Laporte et son emplacement, mais refusent de se joindre à eux, par crainte de représailles; les deux traîtres sont conduits chez Green où ils passeront le reste de la nuit.

Taylor, avec un employé de Green, un certain David Higgins, trois miliciens et quatre ouvriers de la distillerie partent dans deux traîneaux; il est 2 heures 30, des bourrasques de grêle et de neige fondante ralentissent leur progression. Parvenus devant la maison de Laporte, ils l'encerclent, forcent la porte et tirent le propriétaire de son lit; Laporte reconnaît que Girod s'est arrêté chez lui, mais qu'il l'a quitté durant la nuit. Après avoir fouillé la maison, la grange et les bâtiments, ils poursuivent leur recherche chez les voisins, jusqu'à 8 heures du matin, sans résultat.

En atteignant le village de Pointe-aux-Trembles, ils croisent le capitaine Clarke, du 99e régiment, qui leur ordonne de retourner chez Laporte pour l'appréhender et le mettre aux arrêts. Après avoir procédé à l'arrestation, Taylor se prépare à revenir chez Handyside lorsqu'un membre de son équipe, William Kempley, un meunier qui parle français, rapplique avec un homme, non identifié, qui affirme avoir vu Girod une heure auparavant; Clarke lui offre 100 $ s'il peut les conduire jusqu'à Girod, ce que le mouchard accepte. Les chasseurs de prime se mettent en route, non sans avoir pris des forces à l'auberge Châtelain de Pointe-aux-Trembles ; Adélard-Isidore DesRivières, un combattant de Saint-Charles qui a réussi à fuir et se réfugier dans l'auberge, signale « qu'ils étaient engourdis par le froid : il leur fallait force whisky pour se réchauffer[54]. »

John Taylor, David Higgins, James Killigan, cocher de Handyside, et le délateur comme guide prennent la direction de Rivière-des-Prairies, suivis de Clarke à cheval. Dans un autre traîneau, William Kempley et cinq hommes se dirigent vers le Bout-de-l'île ; Taylor leur a donné l'assurance que, si lui-même arrêtait le fugitif, il partagerait la récompense avec eux.

Girod, en quittant Joseph Laporte, a trouvé refuge chez un autre Patriote de Pointe-aux-Trembles où il a dormi un peu et déjeuné avant de repartir aux alentours de 7 heures ; c'est peu après que le guide de Taylor l'a aperçu. Il s'est dirigé vers Rivière-des-Prairies par les chemins à travers les terres, un trajet de quatre milles. Il s'est arrêté à une maison où il s'est présenté comme un huissier qui devait procéder à une arrestation et a demandé au propriétaire de lui prêter un cheval et une carriole ; méfiant, à juste titre, l'homme a refusé et Girod a poursuivi sa route à pied. Clarke est informé de son passage peu après.

À Rivière-des-Prairies, Girod trouve refuge chez Joseph Monarque qu'il a côtoyé aux réunions du Comité central et permanent de Montréal ; ce même Monarque qui a accompagné Azarie Archambault à Grand-Brûlé pour remettre au notaire Girouard un exemplaire de la convocation de la convention générale du Parti patriote et à Girod une lettre de sa femme Zoé. La maison de Joseph Monarque s'élève à l'orée du village, sur un terrain contigu à celui de l'église et du presbytère, face à la rivière et à la descente qui donne accès à l'embarcadère du traversier[55]. Monarque invite Girod à entrer se réchauffer et propose qu'on le conduise en lieu sûr.

Ses poursuivants parviennent à leur tour au village et, toujours selon John Taylor, s'apprêtent à frapper à la porte de la première maison voisine du quai afin d'interroger les habitants sur le passage de Girod. Du côté opposé de la route, dans la cour avant d'une autre maison, un traîneau attelé, avec son conducteur prêt à partir, attire leur attention ; ils voient un homme sortir en courant de cette maison et sauter dans la carriole qui prend à vive allure la route du Bout-de-l'île.

Clarke, à cheval, Taylor et ses hommes dans leur traîneau, se lancent à sa poursuite. Malgré les rafales de neige qui rendent la visibilité mauvaise et leur masquent leur gibier, ils réussissent à gagner du terrain ; après une course d'un mille, ils repèrent la carriole arrêtée devant une ferme et vide de ses occupants. Taylor met pied à terre, entre et trouve un homme, seul à l'intérieur, qu'il saisit par le collet en lui demandant où est son compagnon. L'homme nie avoir amené un passager, mais, sous la menace, avoue l'avoir laissé descendre peu avant d'arriver ; Higgins le somme de les accompagner à cet endroit, sinon il y serait mené de force, à la pointe de la baïonnette. Difficile de refuser.

Qui est cet homme ? Peut-être Joseph Monarque qui aurait lui-même accompagné Girod au départ du village. Nous préférons retenir le nom de François-Xavier Armand, le fils de ce François Armand qui avait organisé, avec Girod, l'assemblée de la section locale du Parti patriote en juin dernier, assemblée qu'il avait présidée. Cultivateur prospère et important actionnaire de la Banque du Peuple, il possède plusieurs terres dans la paroisse de Rivière-des-Prairies, dont l'une à un mille du village, sur la route qui conduit au Bout-de-l'île ; il est plausible qu'Armand fils, encore célibataire à vingt-cinq ans, l'habite et ait accepté d'y emmener Girod, à la demande de Joseph Monarque.

François-Xavier Armand, si c'est bien lui, monte dans sa carriole, avec Higgins et le délateur ; Taylor et Killigan, après avoir fouillé la maison où ils ne trouvent personne, les talonnent dans la leur. Au bout de 1000 pieds, le conducteur arrête son traîneau là où il a laissé Girod ; notons que François Armand possède une terre à cette hauteur.

Dans un champ que longe la route, et en retrait, s'élève une clôture de treillis de bois qui ceinture un enclos. Taylor et Killigan s'approchent par la gauche, Higgins et le guide délateur par la droite ; celui-ci, le premier, atteint la clôture, regarde par-dessus, aperçoit Girod et revient sur ses pas, l'air terrifié ; Higgins le dépasse et s'approche à son tour de la clôture.

Girod, se voyant découvert, tente de sortir de sa cachette. Taylor, qui écrit ne pas voir ce qui se passe de l'endroit où il se trouve avec Killigan, rapporte que, selon Higgins, Girod lève la tête et comprend qu'il est encerclé et que toute fuite est impossible ; il lance un « Hello ! » et sort un pistolet de ses vêtements. Tandis que Clarke, posté un peu derrière, fait tourner bride à son cheval et s'éloigne prudemment de plusieurs pieds, Higgins lève son mousquet et met Girod en joue ; celui-ci, déclarera Higgins, pointe alors son pistolet sur sa tempe et se tire une balle dans la tête. Taylor précise que Higgins est le seul à voir tomber Girod et le premier à s'en approcher pour le trouver sans vie.

Le capitaine Clarke, remis de sa frayeur, rapplique et, sans descendre de son cheval, ordonne à Higgins de lui confier le pistolet de Girod. Les volontaires déposent le corps de Girod dans leur traîneau et reprennent la route de Rivière-des-Prairies.

Plus tard, circuleront des informations affirmant que Girod, loin de se suicider, a été abattu de sang-froid. Hypothèse probable, sinon certaine.

Pourquoi Girod a-t-il attiré l'attention d'Higgins avant de prendre son pistolet ? Sans doute pour indiquer qu'il se livrait et rendait les armes. Higgins a pu se méprendre sur son geste et tirer pour éviter d'être touché le premier. Dans ce cas,

Higgins, un civil, a commis un meurtre, bien qu'il pourrait plaider la légitime défense. La proclamation du gouverneur Gosford promettait une récompense à quiconque appréhenderait Girod et le conduirait devant un juge de paix; elle n'autorisait pas de tirer à vue. En récupérant le pistolet de Girod, Clarke voulait-il vérifier s'il avait ou non servi?

Que Clarke, Taylor et Killigan endossent la thèse de Higgins s'explique, ne serait-ce que pour éviter d'éventuels tracas. Mais les deux témoins? Entre un coup de pistolet et un coup de mousquet, la force de la détonation n'est pas la même. Bien sûr, leur guide délateur n'a aucun intérêt à se vanter de sa participation et à prétendre que Girod a été abattu. Seul le conducteur et ami de Girod pourrait éventuellement parler. Taylor ne mentionne pas l'avoir amené avec eux en retournant à Pointe-aux-Trembles; pour avoir aidé Girod à fuir, comme Joseph Laporte, il était coupable de complicité et aurait dû être arrêté et jugé en vertu de la loi martiale. A-t-on acheté son silence contre sa liberté en l'autorisant à rentrer chez lui dans sa carriole, avec la menace de revenir l'appréhender s'il dévoilait sa présence? Ni Joseph Monarque ni François-Xavier Armand ne seront arrêtés et interrogés par la suite.

Malgré l'absence de preuves formelles, nous pouvons affirmer qu'il faut écarter la thèse du suicide et retenir celle de l'homicide.

À Pointe-aux-Trembles, Adélard-Isidore DesRivières, de la fenêtre de sa chambre de l'auberge Châtelain, regarde passer Clarke, Taylor et ses hommes. Membre de la section locale des Fils de la Liberté, il a côtoyé Girod lorsqu'il venait entraîner les jeunes Patriotes du village; il le reconnaît, étendu mort dans le traîneau[56].

À la hauteur de la maison de Joseph Laporte, se joignent au convoi deux autres traîneaux avec des employés de la brasserie venus leur prêter main-forte, suivis d'un détachement de cavalerie de la milice. Le temps d'aller chercher Laporte et de le placer sous bonne garde dans l'un ou l'autre traîneau, volontaires et miliciens poursuivent leur chemin. À Longue-Pointe, nouveau détachement, celui de la cavalerie régulière de l'armée ; lorsque la nouvelle de la présence de Girod à Pointe-aux-Trembles est parvenue à Montréal, son commandant a reçu l'ordre de s'y rendre pour procéder à son arrestation[57].

Visiblement, la capture de Girod soulève beaucoup de zèle et d'empressement.

Au croisement de la côte Sainte-Marie, le cortège s'accroît d'une unité de fusiliers envoyée en renfort. Leur capitaine ordonne de transférer le corps de Girod dans l'un des traîneaux de sa compagnie, avec l'accord de Clarke et à la vive indignation de Taylor qui aurait voulu en conserver la garde pour prendre le crédit de sa prise. Les fusiliers reprennent la route de Montréal pour atteindre la vieille prison, près du Champs-de-Mars, vers 2 heures et demie ; ils confient le corps au docteur Daniel Arnoldi, médecin de l'établissement et juge de paix. Un geôlier conduit Laporte dans une cellule[58].

Le lendemain, mardi 19 décembre, le docteur Arnoldi, à titre de coroner, procède à l'examen du corps et soumet son verdict au jury qui conclut au « suicide d'un rebelle en fuite ». Des recherches ne nous ont pas permis de retrouver son rapport ; tous les rapports de coroner des années 1837 et 1838 sont absents du fonds d'archives pertinent, soit parce qu'ils ont été classés dans une section spéciale et inconnue, soit parce qu'ils ont été détruits.

Girod est enterré le jour même, dans l'après-midi, à un carrefour à l'extérieur de la ville, selon l'usage pour les suicidés interdits de séjour dans les cimetières chrétiens. Où exactement ? « Sur le grand chemin au-dessus du faubourg Saint-Laurent[59] », selon *Le Populaire*. « Sur le chemin de la reine, Côte-à-Barron[60] », suivant le *Montreal Herald*. « Au haut de la côte à Barron, près de la belle maison de M. Torrance, à la jonction de la rue du faubourg de Saint-Laurent avec celle du haut de la côte», affirme Alexis-Frédéric Truteau[61]. «Dans le chemin de traverse, près de chez Molson, Côte-à-Barron», note dans son journal celui qui commandait le détachement de cavalerie[62]. Belmont Hall, que John Molson a acheté à Thomas Torrance en 1825, s'élevait à l'angle nord-ouest de l'intersection des actuelles rues Sherbrooke et Saint-Laurent.

Nous sommes porté à conclure que Girod est mis en terre à l'angle nord-est du croisement des deux chemins, sous la chaussée, dans la partie publique du sol. L'inhumation se déroule sous la direction du docteur Arnoldi et de l'adjoint du shérif, Édouard-Louis-Antoine Duchesnay. La dépouille a été transportée dans un traîneau convoyé par une compagnie des fusiliers afin que l'enterrement se fasse convenablement[63]; au point, écrit le directeur de la bibliothèque de l'Université McGill, que les soldats tirent une salve au-dessus de la tombe[64].

L'auteur extrapole légèrement. Déjà que la presse loyaliste déplorait qu'ordonner aux fusiliers d'escorter les restes de Girod jusqu'à sa tombe était lui rendre un hommage excessif[65]. Ajouter les honneurs militaires eût provoqué des réactions beaucoup plus violentes.

Au contraire, *Le Populaire* verse dans le grotesque, le seul journal à rapporter que Girod fut enterré «avec un pieu à travers le corps, selon l'usage[66]». Le directeur, Hyacinthe-Poirier Leblanc de Marconnay, a multiplié pendant des mois les injures pour vilipender celui qu'il détestait au plus haut degré; afin de l'empêcher de ressusciter, à l'instar du Vampire[67], le futur Dracula, le journaliste juge que lui enfoncer un pieu dans le cœur s'imposait. La légende, reprise par plusieurs auteurs, persistera jusqu'à aujourd'hui. D'autres sottises s'écriront. Passons outre.

La mort de Girod ne termine pas son histoire. Il laisse, cas inusité, deux veuves, celle que nous avons appelée Maria et

Zoé Ainsse ; un fils, Juan ; une belle-sœur, Fanny Ainsse, et son mari Eugène-Napoléon Duchesnois. Avant de nous pencher sur leurs destinées, voyons comment ses concitoyens de Varennes réagissent au rétablissement de l'ordre public.

CHAPITRE NEUVIÈME

La suite du monde

L E JOUR MÊME de l'inhumation de Girod, le 19 décembre 1837, les citoyens du comté de Verchères tiennent une assemblée dans la maison d'école du village éponyme. François-Xavier Malhiot, membre du Conseil législatif, préside avec, à ses côtés, Aimé Massue et Joseph Cartier; Pierre Ménard rédige le procès-verbal. Les participants manifestent leur fidélité à la Couronne britannique par l'adoption d'une «Adresse à son Excellence le Lord Gosford». Ils expriment leur désapprobation de la rébellion, leur reconnaissance pour la protection de la religion, de la langue et des institutions du peuple canadien et leur appui à la politique du gouverneur.

> Nous soussignés, les fidèles et loyaux sujets de Sa Majesté la Reine Victoria, habitans et francs-tenanciers du comté de Verchères, osons respectueusement approcher votre Excellence, afin de lui exprimer notre fidélité envers notre Très Gracieuse Souveraine et à son gouvernement, ainsi que notre attachement, non équivoque, aux liens qui unissent cette province à l'Empire Britannique.

> Nous manquerions au premier devoir, si nous ne manifestions pas, sans réserves, notre désapprobation des scènes criminelles dont une partie de ce District vient d'être le

théâtre ; nous devons en même tems avancer qu'une très petite fraction de nous s'est oubliée au point que de se distraire de leur devoir sacré envers Sa Majesté ; ce ne fut pas seulement sous l'impulsion de la déception, mais bien davantage sous l'empire de menaces les plus rigoureuses.

Nous prions donc votre Excellence d'être convaincue qu'aucune partie de la population de cette province n'est plus reconnaissante que nous le sommes de la protection que nous éprouvons pour tout ce qui est précieux à un peuple, c'est-à-dire sa religion, sa langue, ses lois et ses institutions ; que mues par les sentiments indissolubles qui dérivent d'aussi inappréciables bienfaits, nous osons supplier votre Excellence de ne pas nous priver de votre confiance dans le sincère engagement que nous contractons de ne rien épargner afin de seconder les vues paternelles de votre Excellence, exprimées dans la Proclamation qu'elle a émanée le vingt-neuvième jour de novembre dernier, et ainsi contribuer au maintien de la tranquillité publique et assurer l'harmonie entre tous les sujets de sa majesté[1].

L'assemblée donne mandat à des comités de chacune de six paroisses du comté de recueillir les signatures des habitants qui endossent l'adresse. À Varennes, Édouard Beaudry, Jean-Baptiste Brodeur, Charles Monjeau, Étienne Jodoin, Joseph Geoffrion et Joseph Petit se chargent de cette mission. Ils procèdent avec un zèle et un succès remarquables : tous les hommes de la paroisse apposent, qui leurs paraphes, qui leurs marques, les fils avec leur père, les domestiques avec leur maître, les apprentis et les commis avec leur patron. En tout, 540 noms, ceux des seigneurs Paul Lussier et Joseph Ainsse les premiers[2]. Seuls le seigneur Jacques Le Moyne de Martigny et son fils, le médecin Perkins Nichols et le notaire Alexis Pinet ne ressentent pas la pertinence de se joindre à cette déclaration de loyauté ; nul ne pourrait contester leurs soutiens au pouvoir colonial.

Girod sous terre, les Varennois rentrés dans le droit chemin, le notaire Pinet triomphe. Le 7 décembre, il avait quitté le village avec sa famille pour se réfugier à Montréal; un groupe de Patriotes, dirigés par Félix Lussier, menaçait de lui régler son compte[3]. Dénoncé et arrêté le même jour, le fils du seigneur de Varennes s'est retrouvé en prison où il restera jusqu'au 28 février 1838[4].

Pinet est revenu chez lui la tête haute, muni d'une commission du gouverneur Gosford qui lui donne pouvoir d'exiger et d'administrer la prestation du serment d'allégeance à la reine Victoria[5]; en cas de résistance, un individu risque la détention, sans formalités, ni procédures judiciaires, en vertu de la loi martiale et du retrait des libertés civiles. Le notaire n'essuie pas de refus, personne ne voulant en subir les conséquences et chacun pouvant se persuader qu'il n'est pas lié par un serment prêté sous la contrainte[6].

* * *

Un mot sur Robert Turcotte, ce patriote qui a vendu Girod avec l'espoir de toucher la prime de 2000 dollars. Il n'en verra pas un sou: John Taylor et ses hommes se partagent la récompense.

Turcotte passe à l'histoire comme l'unique renégat coupable d'avoir trahi et dénoncé un chef patriote, note à New York, le 22 janvier 1842, Amédée Papineau. « Lorsqu'il y avait tant de proscrits et de si grosses et si nombreuses récompenses offertes pour les têtes des principaux chefs, et lorsque que tant d'individus, des centaines d'hommes et de femmes et des enfants même leur donnaient asile ou connaissaient leurs retraites, il n'y eut qu'une trahison[7]. »

Pour sa part, Adélard-Isidore DesRivières, le vétéran de Saint-Charles, écrit dans ses mémoires[8]:

Turcotte fut honni, conspué et détesté de tous ses anciens amis : ils ne voulaient plus lui donner la main ni lui parler.

J'ai connu un Écossais du nom de McDowell, un loyaliste et un bureaucrate enragé qui, lui aussi, le détestait cordialement. Un jour, en ma présence, il se rencontra avec Turcotte à l'hôtel Châtelain. McDowell, en l'apercevant, lui tourne le dos. Ça n'empêcha pas le premier d'aller lui présenter la main : pour toute réponse, McDowell lui jeta à la face ces mots :

— *I do not shake hands with a traitor!*

Oublions ce triste sire.

* * *

Zoé Ainsse a quitté sa maison de l'île Sainte-Thérèse pour se réfugier au village, chez sa sœur Fanny et ses trois enfants. Le 19 février 1838, elle amorce le règlement de la succession de son mari, compliqué par l'absence du seul héritier. Elle présente une requête à la cour du Banc du roi pour expliquer « que du premier mariage qui a existé entre le dit feu Amury Girod et sa défunte épouse dont [elle] ignore le nom, il serait issu un enfant, nommé Juan, encore mineur, lequel seroit absent de la Province, étant parti depuis plusieurs années pour rejoindre la famille de son père résidant en pays étranger[9] ». En conséquence, il conviendrait de lui nommer un curateur pour veiller à la défense de ses droits.

Vu la distance entre Varennes et Montréal, la cour autorise le notaire Édouard Beaudry « à recevoir l'avis des parens et, à défaut de parens, des amis du dit mineur absent » pour procéder à cette nomination. Le 1er mars, le notaire convoque, dans la maison de la famille Duchesnois, un conseil composé de Joseph Ainsse, père, de Joseph Ainsse, fils, d'Antoine Brodeur, capitaine de milice, de Remy Aubertin, instituteur, de Jean-Baptiste Girard, aubergiste, d'Azarie Archambault et Théophile Langevin, étudiants en droit. Est désigné pour curateur Joseph Ainsse, «père par affinité du dit absent», décision que la cour homologue le lendemain.

L'inventaire des biens de la communauté est dressé les 6 et 12 mars par le notaire Beaudry. Les meubles, la vaisselle et les ustensiles, les instruments aratoires et les animaux, on l'a vu, ont été vendus au docteur Duchesnois qui en avait laissé la jouissance aux vendeurs. Restent des bricoles, des petits outils, les lits et les linges de maison, ainsi que les «hardes» de feu Girod; s'ajoutent les récoltes engrangées. L'ensemble des biens est évalué à 925 livres.

En contrepartie, les dettes s'élèvent à 15 000 livres, ancien cours, dont les deux tiers dus à Joseph Ainsse. Parmi les autres créances, nous trouvons les 1086 livres que Girod n'a jamais versées à Joseph-François Perrault, tel que stipulé lors de la fermeture de l'école d'agriculture de Québec; une somme de 1333 livres, selon la facture présentée par Jean-Philippe Boucher-Belleville pour les frais d'édition et d'impression des *Notes diverses sur le Bas-Canada*; un montant de 807 livres que réclame un certain Adams, tailleur de Montréal; un emprunt de 300 livres à la Banque du Peuple[10].

Le 14 mars, Zoé «renonce [...] à la communauté qui a existé entre elle et ledit Amury Girod, Écuïer, pour lui être plus onéreuse que profitable»; elle déclare «s'en tenir à ses reprises et avantages matrimoniaux tels qu'à elle accordés par la loi, n'y ayant pas de contrat de mariage[11]». Elle dispose, en plus, de la terre de l'île Sainte-Thérèse qui lui appartient en propre; le 2 avril, Zoé la vend à son père pour la somme de 9000 livres, moins déductions de ce qu'elle lui doit. Bilan dressé, il ne lui revient que 34 livres[12].

Le 7 avril, à son tour, Joseph Ainsse «en sa qualité de curateur à Juan Girod» renonce à la succession du défunt pour les mêmes motifs que la veuve[13].

La succession devenue vacante, Joseph Ainsse saisit la cour du Banc du roi afin que soit nommé un curateur «pour veiller à la conservation des biens de ladite succession et en avoir la gestion » et demande l'autorisation de réunir les créanciers à cette fin. La requête accordée, ils se réunissent le 25 avril et élisent à l'unanimité Joseph Ainsse « curateur à icelle dite succession[14] ». La vente et adjudication des meubles se déroulent le 30 avril.

Zoé se porte acquéreur de son lit et des linges de maison : oreillers, draps et couvertures, nappes et serviettes. Dans une ultime preuve d'amour envers son mari, elle récupère les vêtements d'Amury : chemises, culottes, vestes, gilets, habits et chapeaux ; et, geste touchant, son rasoir.

Joseph Ainsse, Édouard Beaudry et d'autres villageois achètent les récoltes conservées dans la grange et le grenier de l'étable : foin, avoine, pois et patates. L'encan rapporte un total de 1032 livres[15]. Deux ans plus tard, Joseph Ainsse rend compte aux créanciers de la succession[16] : une fois payés les frais de cour et les frais de notaire, il reste 413 livres à partager entre eux, « au prorata de leurs créances respectives ».

La saga de la succession se poursuivra longtemps. Il semble que le curateur néglige de verser à certains créanciers leurs quotes-parts ; après la mort de Joseph Ainsse, le 29 juillet 1861, l'un d'eux, Léon Beauchamp présente une réclamation à l'exécuteur testamentaire[17]. En 1868, le notaire Édouard-Alexis Beaudry, qui a pris la relève de son père, reconnaît avoir sollicité les héritiers du patriarche et reçu 32 livres « pour payer les comptes de feu Girod[18] ».

Zoé Ainsse ne survit pas longtemps à son mari : elle meurt, « minée par la consomption[19] », le 26 décembre 1842, à l'âge de trente-cinq ans.

De Juan Girod, âgé d'une quinzaine d'années à la mort de son père, nous ignorons le destin. On se rappelle que, dans sa lettre du 21 septembre 1840, sa mère se limite à déplorer que son garçon a été privé « du plus tendre des pères », sans signaler s'il vit avec elle ou en Suisse.

* * *

Fanny Ainsse, sans être veuve comme sa sœur aînée, se retrouve, à vingt-neuf ans, sans mari et sans ressources pour élever ses enfants : Françoise qui a fêté ses dix ans le 15 octobre, Thérèse ses quatre ans le 17 octobre et Napoléon ses trois ans le 4 novembre. Eugène-Napoléon Duchesnois, après avoir quitté, en décembre, le Bas-Canada pour les États-Unis en passant par Stanstead, a gagné Boston où il s'est installé pour pratiquer la médecine. Sa correspondance, notamment avec Ludger Duvernay, révèle qu'il s'engage activement dans l'association des Frères chasseurs qui prépare une insurrection générale. Couvert par l'amnistie décrétée par lord Durham le 28 juin 1838, il rentre au bercail à l'été.

S'il reprend ses activités professionnelles, il consacre ses énergies surtout à mettre sur pied des sections des Frères chasseurs à Varennes et dans les paroisses environnantes. Duchesnois recrute comme adjoints : Azarie Archambault, toujours clerc chez le notaire Édouard Beaudry ; Louis-Adolphe Robitaille, lui-même notaire ; Félix Lussier, qui seconde son père dans la gestion de la seigneurie[20].

L'insurrection déclenchée le 4 novembre tourne court et Duchesnois prend de nouveau la route de l'exil. Pendant plusieurs mois, il tente, avec son collègue le médecin Henri-Alphonse Gauvin, de ramasser des fonds pour soulager de la misère ses compatriotes réfugiés dans diverses localités des États du Vermont et de New York, de part et d'autre du lac Champlain.

À la fin de l'été 1839, Duchesnois s'embarque à New York à destination du Havre d'où il file sur Paris retrouver Louis-Joseph Papineau et la petite colonie canadienne des lieux. Un plus an tard, à l'automne, il part pour l'Argentine et passe l'hiver à Buenos Aires.

À Varennes, Fanny Ainsse a renoncé à attendre le retour de son mari et accepté l'invitation de papa Joseph de venir habiter le manoir familial avec ses trois enfants et sa sœur Zoé. La maison, libérée de ses occupants, est louée à l'instituteur Adolphe-Pierre Bernard, jeune Français immigré depuis cinq ans[21]. Le 16 octobre 1839, Fanny inscrit à la cour du Banc du roi une demande en séparation de biens. L'absence de son conjoint ralentit les procédures qui s'éternisent et ce n'est que le 20 février 1841 que :

> la cour [...] ordonne que la demanderesse sera et demeure de ce jour séparée quant aux biens d'avec le défendeur, son mari, pour elle en jouir à part ; [...] condamne de plus le dit défenseur à garantir et indemniser et acquitter la demanderesse de toutes les dettes et sommes d'argent pour lesquelles il l'a fait obliger conjointement avec lui.

Deux mois plus tard, la cour reçoit le rapport du notaire Lacoste sur les droits de Fanny et « condamne le défendeur à payer à la demanderesse la somme de 464 livres, 18 chelins, 8 deniers, cours actuel[22] ». Selon toute probabilité, Fanny n'a jamais touché le moindre denier.

Fanny meurt le 15 décembre 1850, laissant deux enfants mineurs : Thérèse, qui s'éteint en mars de l'année suivante, à dix-sept ans, et Napoléon, âgé de seize ans ; l'aînée, Françoise, a épousé Charles-François Painchaud en 1845. Lorsque Napoléon atteint sa majorité, les deux héritiers de la succession de leur mère règlent avec Joseph Ainsse leurs comptes réciproques. Le grand-père s'engage à ne pas réclamer le remboursement des dépenses qu'il a effectuées pour leurs logement, nourriture et habillement pendant la période où il en a eu la charge ; ses petits-enfants n'exigeront pas que la succession soit remboursée des sommes que Joseph Ainsse a prélevées sur les biens de leur mère pour leurs soins. Françoise Painchaud et Napoléon Duchesnois réitèrent à « M. Ainsse leurs remerciements et la reconnaissance qu'ils lui doivent de ses soins et attentions vis-à-vis d'eux-mêmes et de leurs mère et sœur décédées[23] ».

Durant ces années, leur père est revenu à Paris à l'été 1841 ; en novembre, il retourne à Buenos Aires pour s'y établir définitivement et assurer la direction du nouvel hôpital créé par une société française[24]. Vers 1865, il épouse Tomasa Lois Dufour qui lui donne un seul enfant, Roberto, futur trésorier de la Banque nationale d'Argentine[25].

Eugène-Napoléon Duchesnois meurt le 16 novembre 1880, dans sa ville d'adoption.

* * *

Montréal, le dimanche 18 juin 1865, l'après-midi. Au cimetière protestant du Mont-Royal, un groupe d'hommes entoure une fosse fraîchement creusée : ils rendent hommage à Amury Girod mis en terre une seconde fois. Des représentants de l'Institut canadien de Montréal, écrit le fils aîné de Louis-Joseph Papineau, Amédée, sans donner de précisions[26]. Toutefois, dans une lettre à son père, il mentionne les noms de deux membres du Comité des Victimes de 37-38, Perrault et Doutre, en ajoutant : «Jean Paul, le laboureur, le Tom [Thomas] Payne ou Pamphlétaire de notre Révolution Canadienne, doit reposer en paix dans le sol de sa Patrie adoptive[27].» Rien de moins.

Charles-Ovide Perrault est le secrétaire de l'Institut ; son oncle, député de Vaudreuil, a trouvé la mort au combat à Saint-Denis, le 23 novembre 1837. Quant à Doutre, il s'agit sans doute de Gonzalve, trésorier de l'institut ; son frère Joseph, bien connu pour son rôle dans l'affaire Guibord, en occupera la présidence en 1867.

Outre ceux-ci, nous pouvons avancer d'autres noms, fort probables. Louis-Antoine Dessaulles, neveu de Louis-Joseph Papineau ; depuis un mois, il occupe le poste de président de l'Institut. Le docteur Joseph Émery-Coderre, un ancien président de l'Institut ; membre des Fils de la Liberté, il a connu la prison en 1838.

Se sont peut-être joints à eux deux journalistes. Le premier, Médéric Lanctôt, dont le père Hippolyte fut déporté en Australie en 1839, dirige l'*Union nationale*; le journal publie le 19 juin, sous le titre: «Histoire glorieuse de ce Patriote», l'éloge de Girod, «l'intrépide étranger qui portait un cœur canadien[28]». Le second, Charles D'Aoust, fils de Charles qui fut incarcéré en 1838, est le directeur du *Pays*. Le 28 juin, on peut lire dans les pages du journal que «Girod fut un écrivain distingué, aux aspirations patriotiques, un champion de la liberté dans les égorgements de 1837»; l'auteur de l'article souhaite que «les mânes du généreux étranger nous pardonnent la longue indifférence que sa gloire n'a pas su dissiper[29]».

La translation des restes d'Amury Girod ne procède pas d'une volonté délibérée de lui rendre un hommage tardif. Elle résulte d'un événement fortuit.

Le mardi précédent, des ouvriers qui creusaient une tranchée «sur la rue Saint-Laurent, près de la rue Sherbrooke» ont dégagé «une tombe recouverte par quelques pieds de terre» et mis à jour un «cercueil à demi pourri» contenant «des ossements humains». L'enquête du coroner Jones a démontré qu'il s'agissait des restes d'Amury Girod enterré en ce lieu vingt-sept ans auparavant. Le vendredi, Jones a accepté de remettre la dépouille «à des amis de Girod» qui ont acheté une concession au cimetière, avec l'intention «de mettre sur sa tombe une pierre tumulaire avec une inscription qui pourra faire savoir aux visiteurs l'endroit où il repose[30]».

Le projet ne verra jamais le jour. L'Institut canadien de Montréal fermera ses portes, voué à la vindicte publique par Sa Grandeur l'évêque de Montréal. Les nécrophages ultramontains, avec la complicité de leurs épigones de la soumission nationale, stigmatiseront la mémoire de Girod, le métèque et le paria, «ce pelé, ce galeux, d'où venait tout le mal[31] ». De rares voix s'élèveront pour mettre un bémol à leurs jugements sectaires et sans appel, avec un faible écho.

Ægidius Fauteux, tout en écartant «l'idée de faire du fameux émigré suisse un héros», avoue sa conviction que «Girod n'a pas reçu de l'histoire sa complète mesure de justice[32] ». Gérard Filteau, après l'avoir qualifié de «l'un des plus violents et des plus dangereux agitateurs de tout le pays», ajoute du bout des lèvres : «Les mémorialistes et historiens de Saint-Eustache, tous des adversaires, ont fait à Girod une réputation peu reluisante. Il la méritait, en partie du moins, mais il semble bien que l'on ait exagéré sur certains points[33]. »

C'est court. L'homme valait mieux.

Nous avons retrouvé sa sépulture, sans stèle, terrain gazonné qu'ombrage un hêtre bizarrement incliné à quarante-cinq degrés[34]. Là gît Amury Girod, le promoteur d'une école laïque et d'un enseignement pratique, le polémiste intarissable, le chantre des libertés républicaines.

Liste des abréviations

ACAM   Archives de la chancellerie de l'Archidiocèse de Montréal
ANQ   Archives nationales du Québec
AVM   Archives de la ville de Montréal
DBC   Dictionnaire biographique du Canada
DHBS   Dictionnaire historique et biographique de la Suisse
DPQ   Dictionnaire des parlementaires du Québec
JCABC Journal de la Chambre d'assemblée du Bas-Canada
SHM   Société historique de Montréal

Notes

CHAPITRE PREMIER
Les années d'ombre

1. DHBS, v. 3, p. 426-427.
2. Charles Gilliard [1968].
3. *Le Canadien*, 3 et 7 septembre 1831.
4. *Id.*, 21 décembre 1831 et 29 février 1832.
5. DHBS, v. 3, p. 80-81.
6. *Le Canadien*, 7 septembre 1831.
7. *Id.*, 21 septembre 1831.
8. *Id.*, 18 janvier 1832.
9. *La Gazette de Québec*, 27 mai 1837.
10. *La Minerve*, 5 juin 1837.
11. Aujourd'hui Ciudad Bolivar.
12. Salcedo-Bastardo [1976], p. 238.
13. Heather Lysons Balcon, « Lancaster, Joseph », *DBC*, v. VII, p. 520-522.
14. *Le Canadien*, 21 septembre 1831.
15. *Id.*, 17 septembre 1831.
16. JCABC, 1835-1836, v. 45, app. FFF.
17. *Journal historique...* [1998], p. 25.
18. *La Minerve*, 15 octobre 1835.
19. H. B. Parkes [1939], p. 205 et s.
20. *La Minerve*, 15 octobre 1835.
21. *Id.*
22. *Notes diverses sur le Bas-Canada* [1835]. Les italiques sont de nous.

CHAPITRE DEUXIÈME
L'école d'agriculture de Québec

1. *Le Canadien*, 11 février 1832.

2. *Id.*, 1er août 1832.

3. Jean-Charles Falardeau, « Parent, Étienne », *DBC*, v. X, p. 633-641. Voir aussi Kelly [1997].

4. *Le Canadien*, 3 septembre 1831.

5. *Id.*, 3 et 7 septembre 1831.

6. *Id.*, 10, 14, 17 et 21 septembre; 1er et 8 octobre 1831. Girod utilise l'orthographe Hofwyl plutôt que celle d'Hofwil.

7. *Id.*, 22, 26 et 29 octobre; 2, 9, 16, 19, 26 et 30 novembre 1831.

8. *Id.*, 3 décembre 1831.

9. *Id.*, 21 et 24 septembre; 5, 15 et 19 octobre 1831.

10. *Id.*, 2, 16 et 19 novembre 1831.

11. *Id.*, 10 décembre 1831.

12. *Id.*, 19 novembre 1831.

13. *Id.*, 26 novembre 1831.

14. Bernatchez, RHAF [1981].

15. *Le Canadien*, 21 décembre 1831.

16. *Id.*, 18 janvier 1832.

17. *Id.*, 5 octobre 1831.

18. JCABC, 1831-1832, 10 décembre 1831, p. 153-154.

19. *Le Canadien*, 17 décembre 1831.

20. *Id.*, 21 décembre 1831.

21. *Id.*, 17 décembre 1831.

22. Pour sa biographie complète, voir Jolois [1969].

23. *Le Canadien*, 18 janvier 1832.

24. *Id.*, 24 décembre 1831.

25. *La Gazette de Québec*, 13 janvier 1832.

26. *Le Canadien*, 11 janvier 1832.

27. *Id.*, 18 février 1832. Le typographe a mal lu; il s'agit de l'université de Göttingen.

28. Toutes ces sommes en livres sterling; la livre valait 4 dollars.

29. JCABC, 1831-1832, app. Ii.

30. ANQ, greffe du notaire Louis Panet, 9 février 1832.

31. *Id.*, 9 février 1832.

32. *Le Canadien*, 8 et 18 février 1832.

33. *Id.*, 22 février 1832.

34. *Id.*, 29 février 1832.

35. *Id.*, 15 août 1832.

36. *Id.*, 6 mars 1833.

37. JCABC, 1832-1833, 23 novembre 1832, p. 82-83.

38. *Id.*, Appendice Ii, p. 82 et s.

39. *Le Canadien*, 6 mars 1833.

40. ANQ, greffe du notaire Louis Panet, 19 avril 1833 ; 10 et 22 décembre 1835.

41. Jolois [1969], p. 214 et 215.

42. *La Gazette*, 9 mars et *Le Canadien*, 11 mars 1833.

43. *Le Canadien*, 6 juin, 2, 6 et 16 juillet, 1ᵉʳ et 13 août 1832.

44. *Id.*, 6 juillet 1832.

45. Cité dans Ouellet [1976], p. 218.

46. *Le Canadien*, 1ᵉʳ août 1832.

47. McLennan [1879], p. 71 et s.

48. Nous utilisons la traduction parue dans *Le Populaire*, 15 janvier 1838.

49. *The Vindicator*, 28 juin 1833.

50. Cette lettre, rédigée en anglais, a été adressée à un certain abbé O'Callaghan ; selon monsieur Georges Aubin, il pourrait s'agir de Father Jeremiah O'Callaghan, prêtre desservant Burlington, Vermont, de 1830 à 1841. L'original est conservé aux archives du séminaire de Trois-Rivières, fonds Montarville Boucher de la Bruère, 032-1990. Nous avons utilisé la traduction publiée par Ægidius Fauteux dans *La Patrie* du samedi 28 juillet 1934.

51. Jacques Monet, « O'Callaghan, Edmund Bailey », *DBC*, v. X, p. 608-609.

52. *New York Daily Advertiser* (1817-1836), *New York American* (1819-1845), *Morning Courier and New York Enquirer* (1829-1861) et *New York Evening Post* (1801 - ...).

53. *Montreal Herald Abstract*, 30 décembre 1837 ; « against Mr. Papineau and his accomplicer ».

54. ANQ, greffe du notaire Édouard Beaudry, 19 février 1838.

CHAPITRE TROISIÈME
La société de Varenne

1. Jacques Monet, « Lancaster, Joseph », *DBC*, v. VII, p. 520-523.

2. *Journal historique...* [1998], p. 25.

3. Ludwik Kos Rabcewicz Zubrowski, « Debartzch, Pierre-Dominique », *DBC*, vol. VII, p. 254-256.

4. ANQ, greffes du notaire Alexis Pinet, 17 février 1827.

5. Sur la formation et la pratique en médecine à cette époque, voir Bernier [1989] et Leblond [1970].

6. ANQ, greffes du notaire Louis Lacoste, 16 septembre 1831.

7. *Id.*, greffes du notaire Joseph-Édouard Faribault, 19 octobre 1832.

8. *La Minerve*, 26 septembre 1833.

9. ANQ, greffes du notaire Édouard Beaudry, 21 octobre 1834.

10. *Id.*, greffes du notaire Louis Lacoste, 18 mars 1834.

11. McLennan [1879], p. 71 et s.

12. JCABC, vol. 43, 14 janvier 1834.

13. Dufour [1996], p. 66 et s.

CHAPITRE QUATRIÈME
Le Parti patriote

1. *Le Canadien*, 3 janvier 1834.

2. *La Minerve*, 26 décembre 1833.

3. *L'Écho du Pays*, 16 janvier 1834.

4. Frederick H. Armstrong et Ronald J. Stagg, «MacKenzie, William Lyon», *DBC*, v. IX, p. 546-562.

5. *La Minerve*, 31 décembre 1827.

6. *Id.*, 6 août 1832.

7. *Id.*, 4 octobre 1832.

8. *Id.*, 14 avril 1834.

9. *Id.*, 3 avril 1834.

10. *Id.*, 3 juillet 1834.

11. *L'Écho du Pays*, 18 septembre 1834.

12. *La Minerve*, 6 octobre 1834.

13. I., 29 juin 1835.

14. JCABC, 1835-1836, v. 45, appendice E.E.E.

15. *Id.*, appendice O.O.

16. Jolois, [1969], p. 167-175.

17. JCABC, 1835-1836, v. 45, app. FFF.

18. *La Minerve*, 17 mars 1836.

19. *Id.*, 28 mars 1836.

20. *L'Ami du Peuple*, 2 avril 1836,

21. *La Minerve*, 4 avril 1836.

22. *Id.*, 7 avril 1836.

23. *Id.*, 11 avril 1836.

24. ANQ, justice, cour des sessions de la paix, registre des jugements.

25. *La petite clique* ... [1836], p. 22 et 24.

26. *La Minerve*, 9, 12 et 26 mai 1836.

27. *L'Ami du Peuple*, 24 septembre 1836; *La Minerve*, 30 septembre 1836.

28. ANQ, fonds Édouard-Raymond Fabre, lettres reçues.

29. Reproduite par Ægidius Fauteux, *La Patrie*, 21 juillet 1934.

30. ANQ, greffe du notaire Édouard Beaudry, 23 septembre 1836.

31. AVM, fonds Gagnon, pièce 4022.

CHAPITRE CINQUIÈME
L'intarissable rédacteur

1. Félicité Robert de Lamennais, Saint-Malo, 1782 - Paris, 1854.
2. Henri Lacordaire, Recey-sur-Ource, 1802 - Sorèze, 1861.
3. Charles Forbes, comte de Montalembert, Londres 1810 - Paris, 1870.
4. Rumilly [1977], t. I, p. 291.
5. Monière [1987], p. 88.
6. Gallichan [1991], p. 91.
7. ACAM, registre des lettres de Lartigue, v. 8.
8. *Id.*
9. *La Minerve*, 10 février 1835.
10. *Le Canadien*, 18 et 27 mars 1835.
11. *L'Écho du Pays*, 30 avril 1835.
12. *Id.*, 17 et 24 décembre 1835.
13. *La Minerve,*15 octobre 1835.
14. Marché de Montréal où les Bureaucrates tenaient leurs assemblées.
15. *L'Écho du Pays*, 17 septembre 1835 ; *La Minerve*, 15 octobre et 5 novembre 1835, 4 janvier, 3 et 28 mars, 14 avril 1836.
16. *L'Écho du Pays* du 17 décembre 1835.
17. Rumilly [1977], t. 2, p. 21.
18. *Le Canadien*, 22 août 1834.
19. Gallichan [1991], p. 396.
20. Jean-Claude Robert, « Evans, William », *DBC*, v. VIII, p. 307-309.
21. Gallichan [1991], p. 94.
22. *Statuts du Bas-Canada*, 1836, v. 44, p. 315.
23. *Le Canadien*, 9 et 26 mai, 6, 9, 11, 16 et 26 juin 1834.
24. *Notes diverses...*, p. 5.
25. *Id.*, p. 22.
26. *Id.*, p. 24.
27. *Id.*, p. 24.
28. *Id.*, p. 47.
29. *Id.*, p. 75.
30. *Id.*, p. 116.
31. *Id.*, p. 122.
32. *Le Canadien*, 22 août 1834.
33. Richard Chabot, « Côté, Cyrille-Hector-Octave », *DBC*, v. VII, p. 225-229.
34. Greer [1997], p. 249-252.
35. *La Minerve*, 9 février 1837.
36. *Id.*, 27 février 1837.
37. *Id.*, 30 mars 1837.
38. *Id.*, 9 février 1837.

39. *Id.*, 30 mars 1837.

40. Filteau [1980], p. 184.

CHAPITRE SIXIÈME
La lutte extraparlementaire

1. Filteau [1980], p. 211.

2. *La Minerve*, 15 mai 1837.

3. Filteau [1980], p. 213; Wade [1966], p. 182; d'autres auteurs à leur suite.

4. *La Minerve*, 27 avril 1837.

5. *Le Glaneur*, avril et mai 1837.

6. *Le Canadien*, 19 avril 1837.

7. *Id.*, 15 mai 1837.

8. Bergeron [1994], p. 59 et s.

9. *La Minerve*, 15 juin 1837.

10. *Id.*, 22 mai 1837.

11. *La Gazette de Québec*, 27 mai 1837.

12. *La Minerve*, 5 juin 1837.

13. *Id.*, 25 mai 1837.

14. *The Vindicator*, 9 juin 1837.

15. Filteau [1980], p. 231 et s.

16. *La Minerve*, 19 juin 1837.

17. Filteau [1980], p. 236.

18. *La Minerve*, 6 juillet 1837.

19. *Id.*, 29 juin 1837.

20. ANQ, cour des sessions de la paix, dossiers des jugements, 14 juillet 1837: «They did say [...] that Girod was a *sans culotte*, that he ought to be expelled and driven away from the Parish, that he was a man deserving to be hanged and other opprobrius, malicious and injurious epiteths and language.»

21. *Id.*: «Conspirancy, Riot, Tumult and Assault».

22. *Le Populaire*, 6 novembre 1837.

23. *La Minerve*, 3 juillet 1837; ANQ, fonds 1837-1838, déposition de Robert Turcotte, doc. 647.

24. *La Minerve*, 27 juillet 1837.

25. *The Vindicator*, 11 août 1837; *La Minerve*, 14 août 1837.

26. La Roque de Roquebrune [1928], p. 278.

27. *La Minerve*, 11 août 1837.

28. *Id.*, 14 septembre 1837.

29. Amédée Papineau, *Journal* [1998], p. 65 et s.; *La Minerve*, 14 et 21 septembre 1837.

30. *The Vindicator*, 6 octobre 1837; *La Minerve*, 9 octobre 1837.

31. Filteau [1980], p. 271 et s.

32. David [1981], p. 26.

33. Amédée Papineau, *Journal* [1998], p. 74 et 83.

34. *La Minerve*, 6 novembre 1837.

35. *Id.*, 12 octobre 1837.

36. *The Vindicator*, 27 octobre 1837; *La Minerve*, 30 octobre 1837.

37. Filteau [1980], p. 277.

38. ANQ, fonds 1837-1838, déposition de Joseph Petit, doc. 44.

39. *La Minerve*, 30 octobre 1837.

40. Filteau [1980], p. 282 et 283.

41. *Id.*, p. 289-299.

42. *Id.*, p. 303 et s.; Amédée Papineau, *Journal* [1998], p. 73 et s.; *La Minerve*, 9 novembre 1837.

43. ACAM, registre des lettres de Lartigue, v. 9, 18 novembre 1837.

CHAPITRE SEPTIÈME
La république des Deux-Montagnes

1. Et non le 15, date retenue par la plupart des historiens.

2. Amédée Papineau, *Journal* [1998], p. 81.

3. Boucher-Belleville, *Journal* [1992], p. 35.

4. Girod, *Journal* [1998], p. 116-117.

5. Boucher-Belleville, *Journal* [1992], p. 35.

6. Senior [1997], p. 83 et s.

7. Girod, *Journal* [1998], p. 119.

8. *Id.*, p. 120.

9. *La Minerve*, 9 novembre 1837.

10. Girod, *Journal*, [1998], p. 121.

11. ANQ, fonds 1837-1838, déposition William Henry Scott, doc. 743.

12. Girod, *Journal*, [1998], p. 121.

13. *Id.*, p. 121-122.

14. *Le Populaire*, 11 octobre 1837.

15. Greer [1997], p. 144.

16. ANQ, fonds 1837-1838, déposition Robert Hall, doc. 607.

17. Greer [1997], p. 144.

18. Filteau [1980], p. 258 et s.; Greer [1997], p. 164 et s.

19. *La Minerve*, 20 juillet 1837.

20. *Le Populaire*, 17 juillet 1837.

21. *La Minerve* et *The Vindicator*, 9 octobre 1837.

22. *La Minerve*, 16 octobre 1837.

23. *Le Populaire*, 28 août 1837.

24. Amédée Papineau, *Journal* [1998], p. 67-68.

25. ANQ, fonds 1837-1838, déposition de Jean-Baptiste Dumouchel, doc. 824.

26. Girod, *Journal* [1998], p. 122.

27. *Id.*, p. 123.

28. Greer [1997], p.170-171.

29. Boucher-Belleville, *Journal* [1992], p. 38.

30. Archambault, *Mémoires* [1974], p. 3 ; Girod, *Journal* [1998], p. 125-126.

31. Archambault, *Mémoires* [1974], p. 4.

32. Girod, *Journal* [1998], p. 127.

33. Archambault, *Mémoires* [1974], p. 5.

CHAPITRE HUITIÈME
Le général de l'armée du Nord

1. Jacques Brel, *Zandra.*

2. Girod, *Journal* [1998], p. 128.

3. *Id.*, p. 129.

4. Archambault, *Mémoires* [1974], p. 5.

5. Filteau [1980], p. 338.

6. Boucher-Belleville, *Journal* [1992], p. 54 ; Archambault, *Mémoires* [1974], p. 5 ; Rumilly [1977], p. 517.

7. Boucher-Belleville, *Journal* [1992], p. 58.

8. Girod, *Journal* [1998], p. 129.

9. *Le Populaire*, 29 novembre 1837.

10. Girod, *Journal*, p. 130.

11. *Journal historique...* [1998], p. 21.

12. *Id.*, p. 22-23.

13. Girod, *Journal* [1998], p. 132.

14. Sur l'expédition : Girod, *Journal*, [1998], p. 132-140 ; ANQ, fonds 1837-1838, dépositions, entre autres, de Jean-Baptiste Deau, doc. 665, de François Bertrand, doc. 736, de Gilbert Spénard, doc. 765, d'Hyacinthe Larocque, doc. 796.

15. Lucie Chéné, « Brown, James », *DBC*, v. VII. p. 121-122.

16. Amédée Papineau, *Souvenirs...*, [1998], p. 96.

17. Dumouchel [1929], p. 39 ; Girod, *Journal* [1998] p. 141.

18. Girod, *Journal* [1998] p. 145.

19. *Id.*, p. 142.

20. *Id.*, p. 143.

21. *Le Populaire*, 24 novembre 1837.

22. ANQ, fonds 1837-1838, déposition de Moyse Ollier, doc. 813.

23. *Id.*, dépositions de Jean Cloutier, doc. 779 ; de William Henry Scott, doc. 743.

24. *L'Ami du Peuple*, 6 décembre 1837.

25. ANQ, fonds 1837-1838, déposition de William Henry Scott, doc. 643 : « I succeeded in dispersing all the people of St. Eustache who were encamped at the village. »

26. *Journal historique...* [1998], p.32-33.

27. Senior [1997], p. 173.

28. Girod, *Journal* [1998], p. 144.

29. *Id.*, p. 145.

30. *Id.*, p. 146.

31. *Id.*, p. 147.

32. ANQ, fonds 1837-1838, dépositions d'Auguste Lauzon, doc. 708 ; d'Auguste Laurent, doc. 714 ; de Richard Hubert, doc. 715 ; de François Deau, doc. 726 ; de Clémence Gravelle, doc. 752 et de Charles Champagne, doc. 788.

33. Girod, *Journal* [1998], p. 147.

34. ANQ, fonds 1837-1838, dépositions de Casimer Testard de Montigny, doc. 562, d'Antoine Rochon, doc. 687, d'Auguste Laurent, doc. 714 et de Félix Paquin, doc. 766.

35. *Id.*, déposition de Joseph Constantineau, doc. 793.

36. *Journal historique...* [1998], p. 44.

37. Girod, *Journal* [1998], p. 147.

38. Greer [1997], p. 289.

39. Girod, *Journal* [1998], p. 147.

40. *L'Ami du Peuple*, 6 décembre 1837.

41. *Journal historique...* [1998], p. 42-43.

42. *Id.*, p. 52.

43. *Id.*, p. 56.

44. ANQ, fonds 1837-1838, déposition d'Alexandre Fournier, doc. 717.

45. Senior [1997], p. 181.

46. Greer [1997], p. 260.

47. David [1981], p. 155.

48. *Id.*, p. 65-66.

49. Cité dans : Amédée Papineau, *Souvenirs...* [1998], p. 130.

50. *Id.*, p. 131.

51. David [1981], p. 103.

52. *La Minerve*, 3 août 1837.

53. *The Montreal Herald Abstract*, 30 décembre 1837.

54. DesRivières [2000], p. 56.

55. Nous avons pu localiser avec certitude la maison de Joseph Monarque grâce aux précisions que nous a fournies madame Gisèle Monarque.

56. DesRivières [2000], p. 59.

57. *The Montreal Gazette*, 19 décembre 1837.

58. *The Morning Courier*, 19 décembre 1837.

59. *Le Populaire*, 20 décembre 1837.

60. *The Montreal Herald Abstract*, 23 décembre 1837.

61. Musée McCord, lettre à Madame Dessaulles, en date du 21 décembre 1837.

62. *La Minerve*, 24 juin 1865.

63. *The Montreal Herald Abstract*, 23 décembre 1837 : « with the duty of seeing him properly buried ».

64. McLennan [1879], p.79 : « the Rifle Corps firing a salute over the grave ».

65. « A too much honor ».

66. *Le Populaire*, 20 décembre 1837.

67. John William Polidori, *The Vampyre*, 1817.

CHAPITRE NEUVIÈME
La suite du monde

1. *Le Canadien*, 10 janvier 1838.

2. ANQ, fonds 1837-1838, liste des signatures, doc. 1733.

3. *Id.*, déposition de Joseph Charbonneau, doc. 190.

4. Linteau [1967], p. 283.

5. Audet [1943], p. 35.

6. Greer [1997], p.298-299.

7. ANQ, fonds Papineau, P417, no. 10.

8. DesRivières [2000], p. 59.

9. ANQ, justice, cour du Banc du roi, 2 mars 1838.

10. ANQ, greffe du notaire Édouard Beaudry, 6 mars 1838.

11. *Id.*, 14 mars 1838.

12. *Id.*, 2 avril 1838.

13. *Id.*, 7 avril 1838.

14. *Id.*, 25 avril 1838.

15. *Id.*, 30 avril 1838.

16. *Id.*, 3 août 1840.

17. SHM, fonds des familles Ainsse et Delisle, P7, pièce 62-237.

18. Id., pièce 62-312.

19. Fauteux [1934].

20. ANQ, fonds 1837-1838, déposition d'Isidore Savaria, doc. 1738 ; et de Jean-Baptiste Blain, doc. 1739.

21. *Zacharie*, du même auteur, aux Éditions du Septentrion, 1998, p. 110-111.

22. ANQ, justice, cour du Banc du roi, 20 avril 1841.

23. ANQ, greffe du notaire Marc-Amable Girard, 9 février 1856.

24. La Sociedad Filantropica Francesa.

25. El Banco de la Nación. Ces précisons nous ont été transmises par monsieur Georges Aubin.

26. Amédée Papineau, *Souvenirs...* [1998], p. 132.

27. Lettre d'Amédée Papineau à Louis-Joseph Papineau, 15 juin 1865, collection particulière de monsieur Georges Aubin.

28. *L'Union nationale*, 19 juin 1865.

29. *Le Pays*, 28 juin 1868.

30. *L'Union nationale*, 19 juin 1865 ; *Le Pays*, 20 juin 1865.

31. Jean de La Fontaine, *Les animaux malades de la peste.*

32. Fauteux, *La Patrie*, 28 juillet 1934.

33. Filteau [1980], p. 357.

34. Cimetière Mont-Royal, section C, lot 363-B.

Sources documentaires

Écrits d'Amury Girod

Cette recension ne couvre pas la totalité de la production littéraire de Girod. Elle laisse volontairement de côté de nombreux courts billets publiés dans divers journaux et sans intérêt biographique ou historique. Par ailleurs, des écrits dorment sûrement dans des fonds d'archives et attendent leur diffusion.

Sauf indication contraire, les textes portent la signature : « A. Girod ».

Essais

Conversations sur l'agriculture, par « Un habitant de Varennes » ; dédié à Joseph-François Perrault. Québec, Fréchette et Cie, 1834. 56 p.

Notes diverses sur le Bas-Canada, Saint-Charles, Imprimerie Boucher-Belleville, 1835. 129 p.

Traduction

Evans, William, *Traité théorique et pratique de l'agriculture, adapté à la culture et à l'économie des productions animales et végétales de cet art en Canada ; avec un précis de l'histoire de l'agriculture et un aperçu de son état actuel dans quelques-uns des principaux pays, et plus particulièrement dans les Îles britanniques et le Canada*, Montréal, Louis Perrault, The Vindicator, 1837. 325 p. Traduction de l'ouvrage paru en 1835.

Journal personnel

Journal tenu par feu Amury Girod et traduit de l'allemand et de l'italien. Rapport de l'archiviste du Canada, 1923: p. 408-419. Réédition dans: *1837 et les patriotes des Deux-Montagnes*, Montréal, Méridien, 1998.

La Pandore

Journal manuscrit, politique, littéraire, philosophique, économique et de cagoterie. Éditeur et directeur: Jean-Paul, laboureur. Sept numéros de septembre 1835 à avril 1836. Extraits reproduits dans *L'Écho du Pays*, 17 septembre 1835 et *La Minerve*, 15 octobre et 5 novembre 1835, 3 et 28 mars, 14 avril 1836.

Articles

Dans *Le Canadien*

« Sur l'établissement d'Hofwyl en Suisse », les 3 et 7 septembre 1831.

« Sur l'application du système Hofwyl au Canada », les 10, 14, 17, 21 septembre, 1er et 8 octobre 1831.

« Sur l'éclairage au gaz », les 21 et 24 septembre, 5, 15 et 19 octobre 1831.

« Sur l'agriculture pratique », les 22, 26 et 29 octobre, 2, 9, 16, 19, 26 et 30 novembre 1831.

« Sur la diversité de la forme du gouvernement d'Angleterre et de France », les 2, 16 et 19 novembre 1831.

« Sur un système d'Éducation publique au Bas-Canada », le 3 décembre 1831.

« Sur les archives historiques », le 10 décembre 1831.

« Fellenberg et Hofwyl, historique », le 21 décembre 1831.

« Pestalozzi et Fellenberg », le 29 février 1832.

« Sur l'agriculture, Des plantes », le 14 mars 1832. « Des graines », le 17 mars 1832.

« Considérations sur la législation et le système judiciaire », par « Jean-Paul, laboureur », les 6 juin, 2, 6 et 16 juillet, 1er et 13 août 1832.

« Économie de la chaumière, Introduction ». Traduction de l'introduction de la brochure de William Cobbet, le 22 août 1834.

« Conversations sur l'agriculture », par un « Habitant de Varennes », les 9 et 26 mai, 6, 9, 11, 16 et 26 juin 1834.

« Lettres de Jean Paul, laboureur, à son cousin Jacques », les 18 et 27 mars 1836.

Dans *The Quebec Daily Mercury*

« On Education », les 24 et 31 décembre 1831.

Dans *L'Écho du Pays*

« Les fermiers-gentilshommes », par « Jean Paul, laboureur », le 14 août 1834.

« Traité des éléphans et des mouches », par « Jean Paul Laboureur », les 17 et 24 décembre 1835.

« Pièce diplomatique », par « Jean Paul Laboureur », le 30 avril 1835.

Dans *Le Glaneur*

« Les découvertes », avril et mai 1837.

« Le livret de Jean Paul, laboureur », février, mars, avril, mai et juin 1837.

Dans *La Minerve*

« Pétition à l'Honorable Chambre d'Assemblée du Bas-Canada », par « Jean Paul, laboureur », le 10 février 1835.

« Jean Paul en justice », les 9, 12 et 26 mai 1836.

« Lettres seigneuriales à Agricola », par « Jean Paul », les 9, 13 et 27 février, 27 et 30 mars 1837.

Lettres ouvertes

Lettres à « Le Villageois ». Publiées dans *Le Canadien*, 19, 26 et 30 novembre 1831.

Lettres à « J.C.D. ». Publiées dans *Le Canadien*, 28 et 31 décembre 1831, 4 janvier, 7, 10 et 17 mars 1832.

Lettre à J. R. Hamilton, député de Bonaventure, en date du 8 mars 1833. Publiée dans *La Gazette de Québec*, 9 mars 1833 et *Le Canadien*, 11 mars 1833.

Deux lettres à l'éditeur de l'*Albion*, Londres, en date du 20 avril 1833 et signées «Lemanus». Reproduites partiellement dans le *Quebec Daily Mercury*, 6 janvier 1838, et *Le Populaire*, 15 janvier 1838.

Lettre à l'éditeur. *La Minerve*, 27 avril 1835.

Lettre à l'éditeur de *L'Ami du peuple*, en date du 5 avril 1836. Publiée dans *La Minerve*, 7 avril 1836.

Lettre à l'éditeur. *La Minerve*, 11 avril 1836.

Lettre de rétractation, en date du 21 septembre 1836. Publiée dans *L'Ami du Peuple*, 24 septembre 1836, et *La Minerve*, 30 septembre 1836.

Lettre à l'éditeur de *La Gazette de Québec*. Publiée dans *La Minerve*, 5 juin 1837.

Lettre à Alexis Pinet, notaire à Varennes, en date du 27 juin 1837. Publiée dans *La Minerve*, 29 juin 1837.

Lettre à l'éditeur. *La Minerve*, 21 septembre 1837.

Lettre à l'éditeur. *Le Populaire*, 29 novembre 1837. Probablement apocryphe.

Lettres privées

Lettre à Ludger Duvernay, en date du 27 septembre 1836. Reproduite dans : Ægidius Fauteux, *La Patrie*, 21 juillet 1934.

Lettre à Joseph Girouard, Étienne Chartier et Jean-Baptiste Dumouchel, en date du 6 novembre 1836. Archives de la ville de Montréal, fonds Gagnon, pièce 4022.

Fonds d'archives

Archives nationales du Québec
- État civil
- Contrats notariés
- Justice
- Fonds 1837 et 1838
- Fonds Édouard-Raymond Fabre

Archives de la chancellerie de l'Archidiocèse de Montréal
  • Registre de lettres de monseigneur Lartigue
Société historique de Montréal
  • Fonds des familles Ainsse et Delisle

Journaux

Publiés à Montréal : *L'Ami du Peuple, La Minerve, The Montreal Herald, The Morning Courier, Le Pays, Le Populaire, The Vindicator.*

Publiés à Québec : *Le Canadien, La Gazette de Québec, The Quebec Daily Mercury.*

Publiés à Saint-Charles-sur-Richelieu : *L'Écho du Pays, Le Glaneur.*

Ouvrages de référence

Caron, Ivanhoé, « Les évènements de 1837-1838. Inventaire des documents relatifs aux évènements de 1837-1838 conservés aux Archives de la Province de Québec », *Rapport de l'archiviste de la Province de Québec*, Québec, 1925-1926.

Dictionnaire biographique du Canada, Sainte-Foy, PUL, 1966-1999.

Dictionnaire des parlementaires du Québec 1792-1992, Sainte-Foy, PUL, 1993.

Dictionnaire historique et biographique de la Suisse, Neuchâtel, 1926.

Fournier, Marcel, *Les Français au Québec*, Sillery, Septentrion, 1995.

Monographies

Archambault, J.N.A., *Mémoires de prison d'un patriote de 1837-1838*, Montréal, Albert St-Martin, 1974.

Audet, Francis-J., *Varennes : notes pour servir à l'histoire de cette seigneurie*, Montréal, Éditions des Dix, 1943.

Audet, Louis-Philippe, *Histoire de l'enseignement au Québec, 1608-1971*, Montréal, Holt, Rinehart et Winston, 1971, 2 vol.

Bergeron, Gérard, *Lire Étienne Parent*, Québec, PUQ, 1994.

Bernard, Jean-Paul, *Les rébellions de 1837-1838*, Montréal, Boréal Express, 1983.

Bernier, Jacques, *La médecine au Québec. Naissance et évolution d'une profession*, Sainte-Foy, PUL, 1989.

Boucher-Belleville, Jean-Philippe, *Journal d'un patriote : 1837 et 1838*, Montréal, Guérin, 1992.

David, Laurent-Olivier, *Les patriotes, 1837-1838*, 1884. Réédition : Montréal, Jacques Frenette, 1981.

Descola, Jean, *Les libertadors*, Montréal, Fayard, 1957.

[Desèves, François-Xavier], *Journal historique des événements arrivés à Saint-Eustache*, Montréal, 1838. Réédition : *1837 et les patriotes de Deux-Montagnes*, Montréal, Méridien, 1998.

DesRivières, Adélard-Isidore, *Mémoires de l'insurrection de 1837*, in : *Mémoires de 1837-1838*, Montréal, Méridien, 2000.

Dubois, abbé Émile, *Le Feu de la Rivière-du-chêne*, Saint-Jérome, 1937. Réédition : Montréal, Méridien, 1998.

Dufour, Andrée, *Tous à l'école*, Montréal, HMH, 1996.

Fauteux, Ægidius, *Les Patriotes de 1837-1838*, Montréal, 1938. Réédition : Montréal, Éd. des Dix, 1961.

Filteau, Gérard, *Histoire des patriotes*, Montréal, L'Action canadienne-française, 1938-1942. Réédition : Montréal, L'Aurore Univers, 1980.

Gallichan, Gilles, *Livre et politique au Bas-Canada*, Sillery, Septentrion, 1991.

Gilliard, Charles, *Histoire de la Suisse*, Paris, PUF, 1968.

Greer, Allan, *Habitants et Patriotes*, Montréal, Boréal, 1997.

Hare, John, Marc Lafrance et David-Thiéry, Ruddel, *Histoire de la ville de Québec*, Montréal, Boréal, 1987.

Horman, Doris, *Varennes 1672-1972*, Varennes, Horman, 1972.

Jolois, Jean-Jacques, *J.F. Perrault, 1753-1844*, Montréal, PUM, 1969.

Kelly, Stephane, *La petite loterie*, Montréal, Boréal, 1997.

Lareau, Edmond, *Histoire du droit canadien*, Montréal, A. Périard, 1888.

[Leblanc de Marconnay, Hyacinthe-Poirier], *La petite clique dévoilée*, Rome, État de New York, 1836.

Monière, Denis, *Ludger Duvernay*, Montréal, Québec-Amérique, 1987.

Ouellet, Fernand, *Le Bas-Canada 1791-1840* , Ottawa, PUO, 1976.

—, *Histoire socio-économique et sociale du Québec, 1760-1850 : structure et conjoncture*, Montréal, Fides, 1967.

Papineau, Amédée, *Journal d'un Fils de la Liberté*, Sillery, Septentrion, 1998.

—, *Souvenirs de jeunesse*, Sillery, Septentrion, 1998.

Parkes, Henry B., *Histoire du Mexique*, Paris, Payot, 1939.

Rumilly, Robert, *Papineau et son temps*, Montréal, Fides, 1977.

Salcedo-Bastardo, *Bolivar, un continent et un destin*, Paris, La Pensée universelle, 1976.

Senior, Elinor Kate, *Les habits rouges et les patriotes*, Montréal, VLB Éditeur, 1997.

Wade, Mason, *Les Canadiens français de 1760 à nos jours,* Montréal, Cercle du livre de France, 1966.

Wallot, Jean-Pierre, *Un Québec qui bougeait*, Québec, Boréal Express, 1973.

Périodiques

Anonyme, « Aignan-Aimé Massue : notice biographique », *Bulletin des recherches historiques*, vol. 38 (1932).

Beaudin, François, « L'influence de Lamennais sur Mgr Lartigue, premier évêque de Montréal », *Revue d'histoire de l'Amérique française*, vol. 25 (1971), n° 2.

Bernatchez, Ginette, « La Société littéraire et historique de Québec, 1824-1890 », *Revue d'histoire de l'Amérique française*, vol. 35 (1981), n° 2.

Brouillette, Benoit, « Varennes : monographie géographique », *L'Actualité économique*, mars-avril-mai 1944.

Dumouchel, Alfred, « Notes sur la rébellion de 1837-38 à Saint-Benoît », *Bulletin des recherches historiques*, vol. 35 (1929).

Fauteux, Ægidius, « Amury Girod ou l'homme mystère », *La Patrie*, 14, 21 ct 28 juillet 1934.

La Roque de Roquebrune, Robert, « M. de Pontois et la rébellion des Canadiens français », *Nova Francia*, vol. III (avril 1928).

Leblond, Sylvio, « La Médecine dans la province de Québec avant 1847 », *Cahier des Dix*, vol. 35 (1970).

Linteau, Paul-André, « Les Patriotes de 1837-1838 d'après les documents de J.J. Girouard », *Revue d'histoire de l'Amérique française*, vol. 21 (1967), n° 2.

McLennan, William, « Amury Girod », *The Canadian Antiquarian and Numimastic Journal*, vol. VIII (1879).

Index

Table des matières

COMPOSÉ EN NEW BASKERVILLE CORPS 11,5
SELON UNE MAQUETTE RÉALISÉE PAR JOSÉE LALANCETTE
ET ACHEVÉ D'IMPRIMER EN MARS 2001
SUR LES PRESSES DE AGMV-MARQUIS
À CAP-SAINT-IGNACE
POUR LE COMPTE DE DENIS VAUGEOIS
ÉDITEUR À L'ENSEIGNE DU SEPTENTRION